Barbara Noack
Das kommt davon,
wenn man verreist

Barbara Noack

Das kommt davon, wenn man verreist

Roman

Langen Müller

1. Auflage September 1977
2. Auflage Dezember 1977
© 1977 Albert Langen · Georg Müller Verlag GmbH
München · Wien
Alle Rechte vorbehalten
Umschlaggestaltung: Peter Schimmel, München
Gesamtherstellung: Mohndruck Reinhard Mohn OHG, Gütersloh
Printed in Germany 1977
ISBN 3-7844-1677-2

Für Beate

In der Straße, in der Friederike Birkow wohnte, hatte man den Baumschatten gefällt, die alten, unrentablen Villen abgerissen und dafür Luxuseigentümlichkeiten im Bunkerstil erstellt mit Balkonen, die an die verbeulte Visage eines Verlierers im Boxring erinnerten.

Zwischen diesen senfgelb-lutscherrot gestrichenen Bauten stand *noch* ein langgestrecktes, zweistöckiges Gebäude mit viel Stuck, Schimmelflecken und eisernen Balkonen, von denen einer wegen Absturzgefahr nur noch von Schüsseln mit kaltzustellenden Speisen betreten werden durfte.

Hier wohnte Friederike Birkow mit ihrem Freund Sixten Forster gerne. Nie wieder würden sie unter so hohen Bäumen in so großen Räumen so preiswert unterkommen – mit Flieder und Jasminhekken drum herum.

Der Taxifahrer, der Friederike und ihre schweren Markteinkäufe heimgebracht hatte, schaute kurz auf das Haus. »Den Schuppen kenn ick. Hab hier öfta mal 'ne Fuhre, 'ne olle Oma. Det soll hier ooch noch abjerissen wern. Bloß die kriejen die Mieta nich raus. Nu hamse Fremdarbeeta in die leerstehenden Wohnungen jesetzt, damit se die Mieta verjraulen sollen. Damit die freiwillig jehn, vastehn Se? Türken und so wat hamse rinjesetzt. Allet Kanaken, det.«

»Kanaken?«

»Na, Mann, ebend Kanaken. Fragen Se die Oma.« Er brach ab und hing mit seinem Ellbogen und seinem Staunen aus dem heruntergekurbelten Fenster, während Friederike das Gartentor aufstieß und ihre Einkäufe hineinzuwuchten versuchte, ehe es wieder zufiel.

»Saren Se bloß, Sie wohnen ooch hier.«

»Ja. Was dagegen?«

Als sie auf die Haustür zuging, wurde diese von innen aufgerissen. Mandeläugige Kinder brachen kreischend in den Hof ein, gefolgt von einer alten Dame, die sie vor sich herscheuchte wie Hühner aus einem Ziergärtchen. Das war Frau von Arnim, die Oberstwitwe aus der ehemaligen Beletage.

»Schrecklich, Fräulein Birkow, schrecklich, schrecklich«, jammerte sie auf Friederike ein. »Sie toben den ganzen Tag durch die Flure und richten nichts wie Schaden an. Und was das Schlimmste ist – sie werden immer mehr! Sie vermehren sich wie die Karnickel, während unsere Geburtenziffern ständig rückläufig sind. Wo soll das einmal hinführen? Bevölkerungspolitisch, meine ich. Haben

Sie sich das mal überlegt, Fräulein Birkow? Eines Tages – und er ist nicht mehr ferne, werden wir ganz in türkischer Hand sein. Ein Glück, daß ich das nicht mehr erleben muß.«

Zusammen mit der Witwe betrat Rieke das Haus.

In der ehemaligen Eingangshalle verblaßten die Lilien auf der Wandbespannung zwischen hölzernen Paneelen. Rußspuren an der rechten Wand stammten von einem lange zurückliegenden Brand. Wenn man sie intensiv anschaute, rochen sie immer noch danach.

Und außerdem roch es nach angebrannter Milch im Haus.

»Sagen Sie, Frau von Arnim, was sind eigentlich Kanaken?«

»Kanaken!« Ein Blick voll abstandnehmender Verwunderung traf Friederike. »Das wissen Sie nicht, Fräulein Birkow?«

»Ich habe das Wort zwar schon oft gebraucht, aber was es bedeutet . . .«

»Kanaken sind Untermenschen!«

»Ehrlich?«

»Und so nannte man sie schon in meiner Jugendzeit.«

Vor der Arnimschen Wohnungstür verabschiedeten sich die beiden Frauen mit einem Nicken des Kopfes. Friederikes Wohnung befand sich im zweiten Stock auf der Gartenseite.

Vor der Tür lag noch die Post – ein Brief für Sixten ohne Absender und zwei Reklamesendungen.

Der Geruch nach angebrannter Milch kam übrigens aus ihrer Wohnung.

Sixten stand barfuß in einem T-Shirt, das er auch als Nachthemd benutzte, am Herd und rührte Mändelchenpudding. Die einzige Veränderung an seinem Äußeren seit ihrem Fortgehen heute morgen: es war eine ausgefranste Jeanshose hinzugekommen.

Sixten liebte Puddings leidenschaftlich. Leider brannten sie ihm jedesmal an, aber solange er selbst die Töpfe scheuerte –!?

»Du schon zu Haus?«

»Heut' ist Samstag.«

»Stimmt ja. Wenn jeder Tag damit beginnt, daß man nach dem Frühstück Feierabend hat, weiß man bald überhaupt nicht mehr, was für 'n Wochentag ist.«

Immer dieses Selbstmitleid!

Es war schon ein Kreuz mit dem arbeitslosen Sixten. Anfangs hatte er sich wenigstens um den Haushalt gekümmert, hatte repariert und Blumen gegossen und den Müll heruntergetragen. Jetzt stand er nur mehr als vorwurfsvolles Ausrufungszeichen in der Gegend herum, stand meistens Friederike im Wege.

Seine einzige Aktivität: Er ließ Puddings anbrennen.

Sixten und Friederike hatten einen Hund, den Plumpsack-geht-um. Zur Hälfte war er ein ungarischer Hirtenhund, zur anderen seit Generationen Promenadenpotpourri; sein Fell erinnerte an einen schmutzigen Flokati-Teppich.

Plumpsack rutschte Glied für Glied von seinem Balkonstuhl und bewegte sich wedelnd auf Riekes Einkaufstaschen zu. Er hängte seine Schnauze in eine hinein und brachte sie zum Umfallen. Äpfel kollerten durch die Küche, Unterkünfte aufsuchend, unter denen sie schwer hervorzuangeln waren.

»Wozu brauchen wir so viele alte Äpfel, Rieke?«

»Sonderangebot.«

»Du weißt, mir schmeckt nichts, wovon wir zuviel haben.« Sixten aß nicht gern Belastungen, schon gar keine verschrumpelten.

»Dann mach Appelmus draus.« Die Anschaffung begann, nun auch Friederike lästig zu werden. »Ich hab' wegen dem Zeug schon ein Taxi nehmen müssen.«

»Taxi!« Ein Sonderangebot, das Taxi fährt! »Hattest du nicht die Karre mit?«

»Sie ist mir weggestorben.«

»Wo?«

»Am Rathenauplatz.«

»Oh, das kenn ich. Da bleibt sie gern stehn. Und jetzt?«

»Steht sie noch immer da.« Rieke packte ihre Einkäufe auf den Küchentisch. »Was sind eigentlich Kanaken?«

»Kanaken? Wie kommst du 'n plötzlich auf Kanaken?«

»Ich hab' zuerst gefragt.«

»Na gut«, sagte er, »Kanaken sind diese schwarzen, widerlichen Käfer. Meine Großmutter hatte mal welche, als sie über einer Backstube wohnte. Aber das war noch in Stockholm.«

»Du meinst Kakerlaken, Sixten Forster.«

»Auch gut«, er schüttelte seinen Pudding in eine Glasschüssel, »was werden wir uns streiten«, schüttete Vim in den Kochtopf mit dem schwarzen Boden, goß Wasser drauf, murmelte »Erst mal einweichen« und hatte somit einen plausiblen Grund vor sich selbst, das Scheuern des Topfes auf unbestimmte Zeit hinauszuschieben.

»Es ist ein Brief für dich gekommen«, sagte Friederike.

»Wo? Von wem? Zeig mal!« so gespannt reagierte nur jemand, dessen Leben seit einiger Zeit ereignislos geworden war.

Er las ihn gleich in der Küche, und Friederike sah ihm dabei zu.

Es mußte ein erfreulicher Brief sein, denn Sixtens von Natur aus breiter Mund wuchs über seine Winkel hinaus himmelwärts. Bei anderen hätte man gesagt: der grient. Aber in diesem gutmütigen, großflächigen Stoffelgesicht vollzog sich das Mimische bedeutend umständlicher. Sixten war überhaupt kein spontaner Typ und immer froh, wenn ihm jemand die Initiative abnahm. Manchmal machte es Rieke so nervös, daß er so war, wie er war – so bedächtig und völlig ungesalzen. Dann schrie sie ihn grundlos an. Er schrie nie zurück. Seine Verletzlichkeit wurde höchstens in seinen von niedrigen, dichten Brauen überdachten Augen sichtbar.

Auch die Geduld, die er im Umgang mit ihr aufbrachte, machte sie zuweilen so ungeduldig. Und immer hatte sie ihm gegenüber ein schlechtes Gewissen.

Sixten hatte den Brief zu Ende gelesen und sagte etwas für seine Verhältnisse geradezu Pathetisches: »Ich freß 'nen Besen und die Putzfrau dazu.«

»Was ist es, sag doch mal, ist es etwa eine Zusage?«

hoffte Rieke so sehr. Sie sah ihn zweimal die Woche Bewerbungsschreiben tippen, wobei er das Zweifingersystem bevorzugte.

»Nein. Von Pauli Herwart. Stell dir vor! Du weißt doch . . .«

Friederike wußte, wer Paul Herwart war. Immer wenn Sixten einen sitzen hatte, fiel ihm die herrliche Zeit ein, die sie gemeinsam in Berlin verbracht hatten. Paul war damals im letzten Jahr auf der Werbefachschule und Sixten im zweiten Semester Betriebswirtschaft und noch so voller Unbedenklichkeit, was seine Zukunft anbelangte.

»Was schreibt er denn?«

»Da, kannst ja selber lesen.« Er gab ihr eine Klappkarte mit einer karikierten Rennsemmel auf dem Deckblatt.

Rieke las:

»Lieber Sixten!

Am 15. 6. startet unsere vierte Juxrallye. Wir laden Dich herzlich dazu ein und hoffen, daß Du Zeit und Lust hast, mitzumachen.

Sag uns bitte bis zum 1. Juni Bescheid. Für billige Unterkunft wird gesorgt.

Wir versprechen, daß es wie immer eine Gaudi wird.

Herzlichst

Ilonka und Paul«

Dieser Text vorgedruckt, nur Sixtens Name nachträglich eingesetzt. Unter der Unterschrift der beiden Veranstalter stand ein handgeschriebenes Postskriptum.

»Grüß Dich, Sixten, sechster Enkel eines schwedischen Pastors!

Ewig nichts von Dir gehört. Habe mit Mühe über Charly Deine Adresse erfahren. Wie geht's Dir? Was machst Du? Hoffe stark, Du kommst zu unserer Rallye. Das wäre endlich eine Gelegenheit, Dich wiederzusehen. Du wohnst natürlich bei uns. Lonka ist begierig, Dich kennenzulernen. (Anmerkung: Lonka ist seit einem Jahr mein Mädchen und wird es wohl auf unabsehbare Zeit noch bleiben.)

Solltest Du ebenfalls über eine feste Trulla verfügen – oder sie über Dich, was wahrscheinlicher ist –, dann bring sie mit. Und vergiß Deine Kamera nicht.

Wir erwarten Dich – bzw. Euch – am Freitag, den 14. Juno.

Absagen gilt nicht.

Es grüßt   Dein Dich liebender
                                          Herwart, Paul«

Friederike gab ihm den Brief zurück und lachte. »Dein Paul hat vielleicht Nerven. Glaubt, du könntest so einfach übers Wochenende nach München jetten.«

»Er hält mich eben für einen Erfolgsmenschen. Er hat mich lange nicht gesehen.«

Und dann sprachen sie nicht mehr über den Brief. Rieke fiel ein, daß sie dringend die Balkonblumen gießen mußte.

Sixten riet ihr, sich damit zu beeilen, damit sie es noch vor dem Regen schaffte.

Er legte sich mit der Zeitung, die sie aus der Stadt mitgebracht hatte, aufs Sofa. Das war ein ehemaliges, zur Vernichtung bestimmtes Sperrmöbel wie alles andere in dieser Wohnung, aber von Rieke gefällig aufgearbeitet. Wozu hatte sie schließlich das Polstern und Schreinern gelernt?

Es war Samstag mittag und sie hatten so gar nichts Erfreuliches für dieses Wochenende vor. Höchstens einen Spaziergang mit Plumpsack um den Grunewaldsee und das Auto vom Rathenauplatz nach Hause schieben und vielleicht noch abends ein Bier und ein Skat mit Charly, einem engagementlosen Schauspieler.

Rieke war gerade dabei, die letzten Stiefmütterchen zu gießen, als dicke Tropfen auf ihre Blütengesichter niederklatschten: die Ouvertüre zu dem von Sixten prophezeiten Regen. »Was ist eigentlich eine Juxrallye?«

»Tja, wie soll ich dir das erklären? Eine Juxrallye – das ist wie eine Sternfahrt.«

»Und was ist eine Sternfahrt?«

»Eine Art Fährtensuche auf Rädern mit Rätselraten und Geschicklichkeitsübungen.«

»So was wie bei Karl May?«

»Nein.«

»Und wofür soll das gut sein?«

Manchmal hatte sie eine Art, Fragen zu stellen, die selbst Sixten auf die Palme brachte – zumindest auf eine Palme von Zimmerhöhe.

»Muß denn immer alles bei dir einen Sinn haben, ja? Möglichst noch einen produktiven? Kannst du mir mal sagen, ob da vielleicht ein Sinn drin ist, wenn du stundenlang Pilze suchst und am Ende die meisten wieder wegschmeißt?«

»O ja, sogar mehrere«, verteidigte sich Rieke und nahm beim Aufzählen der Gründe ihre Finger zu Hilfe. »Erstens: Ich suche sie so gern. Zweitens: Bin ich dabei im Wald und geh spazieren. Das ist gesund. Und drittens: Wenn ich diejenigen Pilze, denen ich nicht traue, wieder wegwerfe, ist das noch mal sehr gesund, auch für dich. Also!«

Sie räumte die Kissen vor dem Regen aus den Balkonstühlen und warf sie in ihren einzigen Sessel, in dem schon Plumpsack Platz genommen hatte.

Er grunzte unwillig, für mehr Protest war er zu faul.

»Eigentlich wär's ganz schön, für 'n paar Tage hier rauszukommen«, sprach Sixten in den Sportteil seiner Zeitung.

Diese Feststellung machte Friederike stutzig. »Sag bloß, du willst wirklich nach München fahren?«

Er gab darauf ein Wort von sich, das wie »tschnjan« klang und ein zustimmendes Ja aus Feigheit vernebelte. Wenn einer seit Monaten zum Haushaltsetat nur seine Arbeitslosenunterstützung beisteuern kann, befällt ihn bei jedem geäußerten Extrawunsch ein Schuldkomplex.

»Etwa mit 'm Flieger?« fragte Rieke.

»Ich dachte, mit dem Auto.«

»Mit unserem?« staunte sie.

»Na ja«, ganz geheuer war ihm bei dieser Vorstellung auch nicht.

»So wie ich das Modell inzwischen kenne, bleibt es spätestens in Michendorf stehen, und dann stehst du da – und das in der Zone.«

»Heißt das, du stehst nicht da?«

»Nein, Sixten. Fahr alleine. Es ist ganz gut, wenn wir mal ein paar Kilometer zwischen uns legen.«

Er widersprach nicht.

Seit einiger Zeit kriselte es in ihrer Gemeinsamkeit. Daran mochte seine Untätigkeit schuld sein und sein Phlegma, aber ebenso ihre Energie, die alles

18

vorantrieb, auch das, was gar nicht getrieben werden wollte. Sie war so furchtbar tüchtig. Ihre Ordnungsliebe bereitete ihm ständig Unbehagen und vor allem ihr rasches, logisches Denken, mit dem sie auch in sein Leben System zu bringen versuchte.

Einerseits war es zweifellos bequem, Verantwortungen auf Friederike abzuwälzen. Andererseits erzeugte das enge Zusammenleben mit einer so fabelhaft tatkräftigen Person ein chronisch schlechtes Gewissen im weniger vollkommenen, in seiner Unvollkommenheit nicht unzufriedenen Sixten. Um dem für eine Weile zu entgehen, erschien ihm München doppelt reizvoll.

»Die Arnim hat gesagt, ich soll ihre Küche und den Flur streichen«, erinnerte er sich.

Aus diesen Überlegungen entnahm Rieke, daß er sich bereits Gedanken um die Beschaffung des Fahrgeldes machte.

Am Abend regnete es noch immer. Mit dem gleichmäßigen Rauschen und dem ungleichmäßigen Schütten aus der defekten Regenrinne drang Geschrei durch die offene Balkontür.

Am Wochenende brachte man sich in diesem Hause besonders gern um. Solange das Streiten nur schrill klang, ging es ja noch. Wenn aber das Schrillen in Gellen überging, war der Moment gekommen, wo Frau von Arnim die Funkstreife alarmierte.

Sie war ständiger Gast auf diesem Anwesen. Man rief sie immer wieder, obgleich ihre Beamten die fatale Angewohnheit hatten, unparteiisch zu schlichten. Nach Meinung der deutschen Bewohner gaben sie den Türken zuwenig Schuld und nach Meinung der Türken hielten sie ständig zu ihren eigenen Landsleuten.

Es gab Momente, da hatte Friederike diesen deutsch-türkischen Kleinkrieg so satt. Den Krieg und den Alltagstrott. Und überhaupt alles.

Ich muß hier mal raus, dachte sie. Ich muß hier dringend mal heraus. Seit drei Jahren hatte sie keinen Ferientag mehr gehabt. Wann war sie eigentlich das letzte Mal in München gewesen?

»Du, Sixten . . .«

Er sah fragend von seinem Spiegel auf, sah sie vor der geöffneten Balkontür stehen und hinausschauen. Mußte ziemlich lange auf das warten, was sie ihm sagen wollte. Er hatte dabei ausführlich Gelegenheit, die lange Rieke zu betrachten.

Sie besaß weibliches Gardemaß. Ihre Schultern waren leicht vorgebeugt, eine typische Haltung bei

Mädchen, denen ihr Busen peinlich ist. Man trug ja heute keinen mehr. Er war vom modischen Standpunkt aus ordinär. Aber wohin mit ihm, wenn er nun einmal da war? Also hielt sie sich gekrümmt.

Abgesehen von diesem Busen, den sie als Ärgernis empfand, war Friederike jungenhaft schlank. Das linke Bein zog sie kaum merkbar nach als Folge des kindlichen Experimentes, mit Hilfe eines Bettvorlegers »Fliegender Teppich« von einem Garagendach gespielt zu haben.

»Du wolltest was sagen«, erinnerte Sixten, eine Zigarette drehend.

»Ja, ich – eh – weißt du . . .«

»Sprich dich ruhig aus«, ermunterte er sie, während er die tabakgefüllte Papierwurst an beiden Enden aufklopfte.

Rieke wandte sich ins Zimmer um. »Ich fürchte, mein plötzlicher Wunsch, mit nach München zu fahren, ist stärker als mein Wunsch, dich ein paar Tage los zu sein. Und wenn mir noch einfällt, wo ich das Reisegeld hernehme, komme ich ganz bestimmt mit.«

2

Am Freitag, dem vierzehnten Juni, gegen achtzehn
Uhr, trafen Friederike Birkow, Sixten Forster und
Plumpsack-geht-Um in München ein, Plumpsack
für dieses Reiseabenteuer frisch gebadet und müh-
sam entfilzt, mit Tollwutspritze und amtstierärzt-
lichem Impfzeugnis versehen, zum ersten Male
über Land.
Sieben brühwarme Stunden lang hatte er – ab-
wechselnd über Riekes oder Sixtens Knien jachelnd, aus dem Fenster geschaut, das die Sonne
zeitweise in ein Brennglas verwandelte, und durfte
nicht einschlafen wegen dem Fuchs. Der Fuchs
hatte in Höhe von Dessau an der Autobahn gesessen, und Plumpsack wäre am liebsten durch die
Scheibe . . . Von Dessau bis München wehrte er
sich gegen den Schlaf in der Hoffnung, irgendwo
am Autobahnrand noch einmal dem Fuchs zu be-
gegnen.
Den Wagen, mit dem sie nach München fuhren,
hatte ihnen eine Mitfahrerzentrale vermittelt. Es
war dies die billigste Reiseart nach Trampen.
Außer seinem Besitzer, einem Vertreter für japa-

nische Papierservietten und Hongkong-Nippes, saß noch eine Pediküre aus Berlin-Steglitz auf den Vorderplätzen. Die konnte sieben lange Worte in einer Sekunde sprechen, und das immerzu.

Betäubt von ihrer Rederitis und durch und durch gar dank der Backofentemperaturen im Innern des Autos, erreichten sie die Ohmstraße in München und glitten an ihrer eigenen, zu Höchstleistungen angetriebenen Transpiration aus dem Auto.

Hier standen sie nun zerknittert, mit ihren Reisetaschen, in der ausgestorbenen Straße auf dem noch immer sonnenheißen Asphalt und ließen die Arme flattern in der Hoffnung auf Kühlung.

»Wir sind da. Wir sind verreist«, freute sich Sixten. »Plumpsack, wir sind verreist! Verreist!« Und das so lange, bis er ihm bellend zwischen die Beine fuhr.

Rieke träumte von einer kalten Dusche.

Sixten träumte von einem Bier, so kalt, daß es zischte, ach was, so eisig, daß man es lutschen mußte.

Für seine schwerfälligen Verhältnisse schäumte er geradezu vor Übermut. Sie studierten die Namensschilder am Eingang des Hauses, vor dem sie der Fahrer abgesetzt hatte. In der vierten Etage links fanden sie »Herwart/Dittler«.

»Das ist er. Aber wer ist Dittler?«

»Wahrscheinlich seine Ilonka.«

Sixten schoß seinen Zeigefinger fünfmal in den Klingelknopf. »Das war unser Zeichen damals –« und schaute am Haus hoch. Er erwartete wohl, daß sein Freund Paul im selben Augenblick ein Fenster aufreißen und an einem Schirm hängend heruntersegeln würde.

»Weißt du«, sagte er, als sie die Treppen hinaufstiegen, »die Rallye ist mir wurscht. Aber der Abend heute mit Pauli . . . auf den freu ich mich wie blöd.«

Paul Herwart empfing sie in der Tür. Sixten klatschte ihm seine Begrüßungsarme so heftig auf den Rücken, daß ein hinzukommendes Mädchen staunend feststellte: »Pauli, du klingst innen ganz hohl.« Dabei trat sie Plumpsack versehentlich auf die Zotteln, er heulte wehklagend in die Höhe.

Das Mädchen kniete nieder, um den Getretenen zu trösten, der Getretene zeigte ihrem Mitleid warnend die Zähne.

»Er ist völlig mit den Nerven runter«, entschuldigte Friederike sein Verhalten, »es war seine erste Reise in einem Backofen.«

Das Mädchen gab ihr die Hand. »Ich bin Lonka. Grüß dich.«

Unter dem Namen Ilonka Dittler hatte sie sich ein ganz anderes Mädchen vorgestellt – molliger, löckchenhafter, mehr schwäbisches Paprika.

Lonka war ein sportlicher Typ. Sie hatte ein herzliches Lachen voll unregelmäßiger Zähne und einen zuverlässigen Handschlag.

Und sie hatten zu Sixtens und Riekes stummer Enttäuschung die ganze Wohnung voll Besuch.

»Alles Rallyeteilnehmer«, erklärte sie. »Ich stell euch jetzt vor.« Sie hatte Mühe, sich gegen das Geschnatter durchzusetzen. »He – seid's doch mal – Kruzinesen – könnt ihr nicht zwei Minuten die Goschen halten? Ich möchte euch mit Friederike Birkow bekanntmachen und mit Sixten Forster, Pauls Intimspezi aus unheimlich männlichen Berliner Tagen.«

Lonka führte Rieke von Sitzgruppe zu Stehgruppe.

Man sah gestört auf, lächelte flüchtig und kehrte zu seinem Gespräch zurück.

Es war doch immer wieder ein zu gemütliches Gefühl, als bedeutungsloser Fremder in eine geschlossene Gesellschaft einzudringen, stellte Rieke fest und hatte nun auch Lonka verloren, die neue Gäste begrüßen mußte.

Paul sah sie verloren in der Gegend stehen, links ein Bier und rechts den schlafenden Plumpsack an der Leine und zog einen jungen Mann aus einem Gespräch mit einem andern jungen Mann.

»Geh, Bussi, kümmer dich ein bissl um den langen Fritz da aus Preußen«, wobei er auf Rieke zeigte.

So kam Friederike zu Bussi Laube und seinen

Aufmerksamkeiten. Er stand plötzlich vor ihr mit einer Nickelbrille vom Flohmarkt auf der Himmelfahrtsnase, Haaren wie Scheitelgardinen und einem Grinsen, das Vertrautheit um sich streute.

»Ich darf mich um dich kümmern, Friederike.«

Von nun an teilten sich Bussi und Rieke einen Stuhl und ein Bierglas, und Bussi packte aus. »Damit du weißt, was hier gespielt wird. Also: Die meisten anwesenden Figuren nehmen schon zum dritten- oder viertenmal an unserer Rallye teil. Anfangs waren das lauter Liebespaare und ihre engsten Freunde. Inzwischen treffen sie sich nur noch einmal im Jahr – eben zu dieser Rallye, und die Hälfte von ihnen schaut sich nicht mehr mit dem Hintern an. So wenig Verlaß ist auf Gefühle. Ein Glück, daß immer wieder neue hinzukommen – so wie du.«

»Ich bin gar nicht richtig eingeladen, bloß so mitgefahren«, sagte Rieke.

Bussi beschaute sich nun den Plumpsack.

»Ist der auch aus Berlin gekommen? Ja? Hat er schon ein Glas?«

»Nein.«

»Was trinkt er? Bier? Wasser? Milch?«

Auf dem Wege zur Küche mußten sie ein Verkehrshindernis umrunden, das den vorderen Flur ganz ausfüllte; eine Gruppe junger Leute, geschart um eine alles beherrschende weibliche Stimme: »Es ist wahnsinnig, ich sag's euch, echt wahnsinnig, was in unserer Gegend geklaut wird. Es gehört geradezu zum Image, eingebrochen worden zu sein. Meine Mutter war schon ganz unruhig, weil man uns bisher übergangen hatte. Die Nachbarn konnten ja denken, bei uns is nix zu holen.«

Zu der Stimme im unterkühlten Partyleierton gehörte ein magerer Rücken mit hochangesetzten Hüften und festem Gesäß in Jeanshäuten. Zwischen den Schenkeln durfte der Wind durchpfeifen, wenn er mochte.

Jetzt wandte sich das Mädchen um und umarmte Bussi. »Hei – Sportsfreund, geht's dir denn? Hast du's in der Zeitung gelesen? Bei uns ist eingebrochen worden. – Na wahnsinnig, sag ich dir, echt wahnsinnig . . .« und noch einmal das Ganze von vorn.

Friederike betrachtete bewundernd den langen, zerbrechlichen Hals des Mädchens, von dem sie so viel Gebrauch machte wie ein Schwan oder ein afghanischer Windhund. Er war ständig in Bewegung und mit ihm die blonde Mähne.

Sie war übrigens nicht allein gekommen, sondern mit einem Mann, der ihre Zartheit immer wieder in den ausladenden Bereich seiner Schulter zog und offensichtlich bis zur Verblödung verliebt sein mußte. Nur so war es zu erklären, daß er die siebenundzwanzigste Wiederholung der Einbruchstory unbeschadet überstand.

An diesem jungen Mann fielen Rieke vor allem die mahagoniroten Haare auf und ein halbes Kilo Sommersprossen.

»Wer ist das Mädchen?« fragte sie Bussi.

»Die Vera.«

»Nett?«

»Naja, wir sind nicht direkt unser Typ.«

»Was macht sie?«

»Arbeitet in einer Kunstgalerie. Das heißt, sie sitzt da herum und tratscht. Hauptberuflich aber ist sie Prominentenhalsnasenohrenarzttochter.«

»Und der Mann dazu?«

»Der Rote? Kenn ich nicht. Das scheint ihr neuer Vortänzer zu sein.«

Inzwischen waren alle Rallyeteilnehmer eingetroffen, und Paul hielt eine angenehm kurze Rede:

»Fein, daß ihr so zahlreich erschienen seid. Morgen um zwölf ist Start in Starnberg. Seid bitte pünktlich, auch wenn's schwerfällt. Die genaue Adresse steht auf den Zetteln, die Lonka gerade

verteilt. Außerdem kriegt jeder von euch eine Liste
mit den Gegenständen, die er zum Lösen der Ex-
traaufgaben mitbringen muß. Das wär's. Wer Fra-
gen hat, bitte jetzt –!«
Es meldete sich sogleich ein Mädchen. »Hier steht,
wir sollen ein Messer mitbringen. Was für eins?«
»Na, eins mit Klinge, mit 'm Griff und 'ner
Schneide vielleicht.«
»Ein großes oder ein kleines?«
»Ich würde sagen, eins, das in dein Auto paßt.«
»Okay«, sagte das Mädchen und schrieb es auf.
Rieke hatte auch eine Liste bekommen und las sie
sich halblaut vor:

1. eine Wanderkarte
2. ein Messer
3. ein wasserdichter Behälter
4. ein Fernglas
5. Bastelzeug
6. Nähzeug
7. Badesachen
8. Schreibzeug
9. Zeichenblock
10. Schere
11. eine Säge
12. einen Zitatenschatz bzw. Lexikon

und viel gute Laune.
»Du meine Güte«, ihre Miene war in Besorgnis
getaucht, »wo nehm ich das alles bis morgen mittag

her? Ich hab' einen Kulturbeutel aus Berlin mitgebracht, aber keine Säge. Wer reist denn auch mit Säge?«

»Borg dir die Sachen von Lonka und Pauli«, riet Bussi. »Du wohnst doch bei ihnen. Und den Rest pumpst du dir im Haus zusammen.«

»Aber ich kenn hier keinen einzigen Mieter.«

»Du sollst sie nicht kennen, du sollst sie anpumpen!«

Friederike dachte einen Augenblick über Bussis Ratschläge nach. Dann nickte sie. »Ich lerne zu.«

»Außerdem brauchst du nicht alles selber mitzubringen. Dein Partner muß ja auch anschaffen.«

»Mein Partner? Wer ist mein Partner?«

»Das entscheidet das Los.«

»Oh!« sagte Friederike, »ich bin auf Nieten abonniert.«

Und Bussi, zuversichtlich: »Dann ziehst du sicher mich.«

Sie hätte nichts dagegen gehabt. Schließlich war Bussi Laube ihr einziger Vertrauter in diesem Kreise.

»Ich würde ganz gerne mit dir«, sagte er nach einem gründlichen Seitenblick auf Rieke. »Obgleich es vielleicht schöner aussähe, wenn ich einsachtzig wäre und du einsneunundsechzig.«

»Ich bin bloß einsachtundsiebzig«, versicherte sie ihm.

»Und außerdem sind das voremanzipationelle Vorurteile, daß der Mann größer sein sollte als die Frau«, beruhigte er seine Eitelkeit.

Lonka ging mit einem Trachtenhut voller Lose herum. Daraus mußten sich die weiblichen Teilnehmer der Rallye ihren Partner ziehen. Die erste, die hineingriff, war trotz ihrer Jugend ein fraulicher, ernsthafter Typ.

Während sie ihr Los entrollte, klärte Bussi Friederike auf. »Das ist Gundi Ferstl. Sonderschullehrerin. Ganz nett.«

Gundi las laut den Namen vor, der auf ihrem Los stand: »Martin Laube«, und hielt sich vor Überraschung den Mund: »Uiiii – der Bussi!«

Errötend sagte er: »Wer hätte das gedacht, daß ich als erster weggehen würde – wie 'ne warme Semmel.«

Ehe er quer durch das Zimmer zu seiner Partnerin überwechselte, zuckte er bedauernd die Achseln.

»Tut mir leid, Riekerl, es wird nix mit uns. Die Gundi kriegt mich.«

Ihr tat das auch sehr leid.

Nachdem Bussi verteilt war, war für sie die Spannung aus dem Hut. Sixten würde an der Rallye nur als Fotograf teilnehmen und Paul Herwart, der Veranstalter, als Streckenposten und Siegerehrer. Der anwesende männliche Rest war ihr fremd. Es bestanden weder Sympathien noch Antipathien, rein gar nichts; das heißt, einen dringenden Wunsch hatte Friederike schon: Sie wollte auf gar keinen Fall den heißen Flirt der Prominentenhalsnasenohrenarzttochter Vera gewinnen.

Ein so intensives gemischtes Doppel würde, wenn auseinandergerissen, die Zieherin des Loses ständig spüren lassen, was für einen Mißgriff sie getan hatte. Auch wenn sie schuldlos daran war.

Die Ziehung der Partner ging weiter, der Lärm schwoll an – löste Enttäuschung aus, Freude, Überraschung, blankes Entsetzen . . .

Sixten war plötzlich neben Friederike.

»Wo hast denn du gesteckt?«

Er hielt ihr zur Antwort seinen Arm vor die Nase: »Riech mal. Gut, was? Ich war duschen.«

»Wo?«

»Den Gang runter, letzte Tür links. Aber laß es lieber; es gab Ärger, weil das einzige Klo drin ist.« Er legte eine Hand auf ihre Schulter und sah eine Weile dem Loseziehen zu, dann sagte er: »Plumpsack gefällt's hier auch. Er ist in die Küche eingebrochen. Er stand auf dem Tisch und würgte Bouletten, als Paul reinkam. Paul hat so gelacht.«

»Und Lonka?«

»Auch. Aber weniger.«

Lonka kam mit dem Hut auf Friederike zu. Es waren noch sieben Lose übrig. Auf einmal hatte sie Lampenfieber.

»Sixten! Bitte, Sixten, willst du nicht für mich –?«

»Was?«

»Ein Los ziehen.«

Er sah sie an, als ob sie nicht recht gescheit wäre.

»Ich soll für dich einen Mann ziehen?«

»Los doch! Lonka will weiter!«

»Also gut. Ich tu's. Aber mach mir hinterher keine Vorwürfe! – Ich zieh jetzt!« (Er war schon manchmal ein Umstandspinsel!)

Trommelwirbel – endloser, denn es fand ein unentschiedenes Gegrabsche im Innern des Hutes statt. Inzwischen überlegten bereits einige, ob Sixtens Hand mit einem weißen Kaninchen wieder auftauchen würde. Weil er es doch so spannend machte. Aber er brachte auch nur ein Los hervor.

Rieke entrollte es und las einen Namen, der ihr gar nichts sagte.

»Bob Taschner.«

Sie sah sich erwartungsvoll um, sah, wie Vera ihrem Laierschläger das langstielige Profil entgegenhob. Er küßte ihren Mund von einem Winkel zum anderen, sozusagen von Endstation zu Endstation und zuckte dabei bedauernd mit den Schultern.

Rieke fiel über Sixten her: »Wen hast du denn da gezogen? Wenn man dich schon ziehen läßt –!«

Veras Freund kam auf sie zu – waschblau, sommersprossig, ungern, aber höflich.

»Ich bin Bob Taschner.«

»Ich verzieh mich lieber«, sagte Sixten und hinterließ nicht mehr von sich als einen intensiven Badeduft.

Nun standen sie voreinander und mußten was sagen.

»Ich bin Friederike Birkow.« Sie fügte entschuldigend hinzu: »Es liegt am Los.«

»Ja. So ist das eben, wenn man seinen Partner aus einem Sepplhut ziehen muß.«

»Ich hab' Sie nicht gezogen, sondern mein Freund.«

»Herrschaftszeiten, könnt ihr nicht du sagen?« fuhr Lonka dazwischen.

Bob Taschner sah Rieke an. »Wenn es Ihnen nichts ausmacht?«

»Nein, warum? Warum sollen wir uns nicht duzen? Tun doch alle hier.« Sie entfaltete ihre Liste. »Haben Sie auch so einen Wisch gekriegt?«

Er tastete Hemd- und Hosentaschen ab. »Irgendwo muß er sein . . .«

»Haben Sie ihn schon gelesen?«

»Nein, warum?«

»Ich möchte gern wissen, was Sie davon mitbringen.«

Sie sprach ins Leere, denn er schaute zu Vera hinüber, die gerade ihren Partner gezogen hatte und mit dem Ergebnis zufrieden schien, denn sie umarmte ihn mit viel Gelächter und nannte ihn Maxl.

Das schien Bob Taschner zu beunruhigen, und nicht nur ihn, auch Rieke. Denn sie dachte an die Rallye morgen. Wenn er dann auch nichts anderes im Sinn haben sollte als Vera und ihren Partner –? Mit einem Othello am Steuer war solch ein Unternehmen bestimmt keine Gaudi.

Sie wiederholte ihre Frage noch einmal, diesmal so langsam, laut und artikuliert, daß selbst ein geistesgestörter Liebhaber sie nicht überhören konnte.

»Ich möchte wissen, was Sie mitbringen werden!«

»Ich? Mitbringen? Wann?«

»*Morgen*. Zur *Rallye* . . .« Als eindringlicher leiser Singsang vorgetragen.

»Ach ich, ach so, ja –« Jetzt begriff er endlich, wie schön. »Meinen kleinen Bruder.«

»Ha?«

»Er landet morgen, zehn Uhr fünfzehn, in Riem, und ich weiß nicht, wohin dann mit ihm. Es macht Ihnen doch nichts aus, wenn er mitkommt?«

»He, Bob, Darling«, rief Vera, »ich möchte dir Maxl vorstellen.«

»Sofort«, versprach er und zu Rieke: »Sie ent-
schuldigen mich, bitte –«
Seine Verliebtheit hatte etwas Folgsames, das sie
hochbrachte. Ihre Hand hielt ihn auf. »Sie –! Moment mal. Ich bin völlig fremd hier. Wo soll ich das
ganze Gelump bis morgen mittag auftreiben?«
»Wir sehn uns ja noch«, und war entflohen.
Die Verlosung war vorüber. Die unfreiwillig zu-
sammengeschmiedeten Teams hockten über ihren
Listen und teilten untereinander die mitzubrin-
genden Posten aus – ich Messer – du Schreibzeug,
du Säge – ich Zitatenschatz – und was gehört alles
zum Bastelzeug? Nur Friederikes Partner mußte
schmusen, anstatt sich um die Notwendigkeiten zu
kümmern. Sie hatte schon einen wahren Glücksfall
erwischt. Eine Occasion, d.h. gleich zwei, er
brachte ja noch seinen kleinen Bruder mit. Aber
auch eine Säge, Nähzeug, Fernglas, wasserdichten
Behälter? Und was war mit der guten Laune, die
ebenfalls auf der Liste stand?

Gegen zwei Uhr früh gingen die letzten Rallyeteilnehmer.
Sixten und Rieke halfen Lonka beim Abräumen,

während Paul ohne Abschied in sein Zimmer schoß und in einem durch auf sein Bett. Er hatte das Ziel der Klasse erreicht und keine Kraft mehr für hygienische Unternehmungen.

»Jetzt kennt ihr sie alle«, sagte Lonka und breitete mit Sixten ein paar Matratzen auf dem Fußboden aus.

»Wenn ihr was wissen wollt, ich stehe mit jedem Tratsch zur Verfügung.«

»Mein Traumpartner«, Rieke stopfte ein Sofakissen in einen Kopfkissenbezug. »Was ist das für einer?« Lonka bedauerte.

»Ausgerechnet von dem habe ich noch keine Personalakte. Ich weiß bloß, daß er irgendwie was mit Übersee zu tun hat.«

»Was für 'n Übersee?«

»Keine Ahnung.«

Sixten sagte, daß er noch einmal kurz mit dem Hund heruntergehen wolle, und zog den schlafenden Plumpsack hinter sich her zur Wohnungstür.

»Habt's ihr inzwischen ausgemacht, wer was morgen mitbringt?«

»Ja«, sagte Rieke, »Badezeug und Nähzeug muß ich besorgen, den Rest organisiert er, auch die gute Laune.«

»Es wird bestimmt eine Gaudi. Es war bisher immer eine – nur nicht für die Veranstalter.« Lonka schleuderte Laken über die Matratzen. »Den Partner von der Vera, den Maxl, hättest ziehen sollen. Das ist ein ganz Netter. Er studiert Bier in Weihenstephan.«

»Sag das nicht mir, sag es Sixten.«

»Was soll sie mir sagen?« fragte Sixten von der Wohnungstür her.

»Du hättest den Maxl ziehen sollen statt dem Taschner«, gähnte Rieke.

»Wenn einer so eng mit der Vera verbandelt ist wie dieser Bob, dann taugt er höchstens zum Playboy«, sagte Lonka. »Oder er kommt aus 'm Urwald und hat keine Erfahrung mit Frauen.« Offensichtlich konnte sie Vera nicht gut leiden.

»Was sind eigentlich Kanaken?« fragte Rieke.

»Ich halt's nicht aus«, schrie Sixten von der Diele. »Jeden fragt sie danach. Es ist zum Wahnsinnigwerden mit der Person!«

»Kanaken?« überlegte Lonka. »Das muß was Schiaches sein. Kanalratten oder so was . . .«

»Siehst du«, sagte Rieke zu Sixten, »genau weiß es keiner.«

»Warum schaust du nicht im Lexikon nach?« Rieke war ganz entsetzt. »Schon –?«

Dann verabschiedete sich Lonka.

»Ich geh jetzt schlafen. Wenn ihr noch was braucht – zu trinken ist im Eisschrank und Handtücher . . .«

»Haben wir mitgebracht.«

»Alsdann, schlaft's schön.«
»Du auch und danke«, sagte Rieke hinter Lonka
her.

In dem hohen geöffneten Fensterrechteck wurde
es bereits hell, als sie sich auf den Matratzen aus-
streckten.
Sixten, nur mit einem Laken zugedeckt, sah sich in
dem großen, weißgestrichenen Zimmer um. Jetzt,
wo alle Gäste gegangen waren, fiel ihm seine Leere
auf. Außer ein paar leinenbezogenen Sitzelemen-
ten gab es hier fast keine Möbel.
»Gemütlich«, sagte er, »wie im Operationssaal.«
»Aber pflegeleicht«, sagte Rieke.
»Eine Wohnung für Partys. Aber was machen sie
hier an Abenden zu zweit?!«
»Hast du schon mal mit Paul gesprochen? Hast du
ihm gesagt, daß du arbeitslos bist?« fragte Rieke.
»Wann sollte ich denn? Bei all den Typen –« Sixten
schien enttäuscht. Er hatte sich das Wiedersehen
mit Pauli Herwart anders vorgestellt. »Laß man,
wenn die Rallye erst vorüber ist, hat er mehr Zeit«,
tröstete Rieke. »Vielleicht weiß er sogar einen Job
für dich.«

»Ich möchte nicht, daß er sich irgendwie verpflichtet fühlt.«

Das konnte Rieke nicht begreifen. »Ich denke, er ist dein Freund.«

». . . aber wir haben uns so lange nicht gesehen«, sagte Sixten.

Und in diesen Jahren hatte der eine Pech gehabt und beim anderen war alles glatt gegangen.

Paul hatte keine Existenzsorgen, er hatte als Werbeassistent einen Beruf, der ihm Freude machte, er konnte sich mit Lonka zusammen eine geräumige Altbauwohnung leisten, fuhr ein funktionierendes Auto und ließ keinen Spaß aus. Im Sommer Segeln und Tennis, im Winter Skifahren. Morgen eine Rallye und nächstes Wochenende eine Regatta am Chiemsee und zwischendurch heiße Sommerabende in Schwabinger Biergärten und Diskotheken, hier ein Fest und da eine Party . . . Sixten kam es vor, als lebte Pauli auf einem anderen Stern. Nicht, daß er ihm den Spaß nicht gegönnt hätte, er konnte schließlich nichts für seine eigene Arbeitslosigkeit, aber es war eine Entfremdung da.

Und die ging von Sixten selbst aus. »Weißt du«, sagte er zu Rieke, die neben ihm lag und die Stuckverschlingungen an der Zimmerdecke betrachtete, »es war wohl nicht so eine gute Idee, hierherzukommen.«

Rieke, die gerade den gleichen Gedanken gehabt

hatte, fuhr ihn an: »Hast du der Arnim die Wohnung gestrichen, um dir ein paar lustige Tage lei-
sten zu können? Ja oder nein?«
»Ja.«
»Na also. Dann sei jetzt auch lustig. Verdammt
noch mal.«
Er rollte sich, plötzlich sehr müde, auf den Bauch
und ließ dabei eine Hand am ausgestreckten Arm
auf Rieke niedergehen. Sie landete auf ihrem Magen.
»Nacht, Kleene, schlaf schön . . .«
Sie gab ihm seine Hand zurück und betrachtete
kurz seinen Schlaf. Er lag mit der Nase voll in der
Matratze. In der fahlen Dämmerung wirkte seine
Arbeitslosenbräune fast schwarz.
Rieke hatte Sixten noch immer sehr gern und er sie
wohl auch, aber es war heute mehr Anhänglichkeit
als Liebe zwischen ihnen und diese bequeme Vertrautheit, die längeres Zusammenleben mit sich
bringt.
Um daraus einen Dauerzustand werden zu lassen,
waren beide noch viel zu jung.
Plumpsack kam schlaftrunken aus dem Neben-
zimmer herübergetappt, beguckte sich die beiden
Matratzen und kippte in einiger Entfernung von
ihnen einfach um, in einen neuen Schlaf hinein.
Das war so gegen drei Uhr früh.

3

Start der Rallye war um 12 Uhr mittags vor Lonka
Dittlers Starnberger Elternhaus. Ab elf Uhr traf
ein Auto nach dem anderen ein, laut hupend und
mit Kuhglockengeläute, als ginge es zu einem
Fußballländerspiel.
Eine Horde junger Leute, fest entschlossen, eine
Gaudi zu erleben, mit grellbunten Schirmmützen,
die für Elektrogeräte und Waschpulver warben.
Manche hatten auch eingelaufene, schlappe Lei-
nenhütchen in der Stirn.
Auf ihren königlich-bayerischen Unterhemden
prangte Ludwig II. lockiges Porträt. Nur einer trat
in Oberhemd und weiten Leinenhosen zu schwarzen Straßenschuhen auf, das war Norbert Hagedorn, Zahnmediziner im letzten Semester. In sein
ursprünglich harmonisch angelegtes Brillengesicht
hatte sich der Ehrgeiz zerstörerisch eingefressen.
Er ging an diese Rallye wie an ein Staatsexamen
oder wie an einen Krieg, bei dem es Verlierer nur
auf der Feindseite geben durfte. Kurzum, er war
gerüstet. Davon zeugte sein vollbestücktes Auto.
Da konnte der Zufall noch so unerwartet improvi-

sieren – Norbert hatte sich auf alles vorbereitet mit komplettem Werkzeugschrank, Fuchsschwanz, Brecheisen, achtbändigem Lexikon, Brehms Tierleben, Büchmanns Zitatenschatz, mit allem nur möglichen Material zum Basteln – von Knete bis Laubsägeblättern.

Norbert Hagedorn war auf alles vorbereitet, nur nicht auf eine Partnerin wie Dagy Scholz, die bei dieser Rallye kein anderes Ziel im Sinne hatte, als ihren ehemaligen Freund Maxl Moser zurückzugewinnen.

Als einzige durfte sie einen Blick in das mit gewürfelten Gardinen abgeschirmte Hinterteil seines Kombis werfen und zeigte sich tief beeindruckt, vor allem von seinem reichhaltigen Werkzeugsortiment. »Geh, Norbertl, glaubst denn du, wir müssen unterwegs eine Sparkasse knacken?«

»Bereit sein ist alles«, belehrte er sie.

Dagy kratzte besorgt in ihrer Kopfwolle. Sie ahnte wohl, was für total humorlose Stunden ihr da bevorstanden. Und das bei 32 Grad im Schatten in einem bis zum Halskragen vollgepackten Auto.

Für die Dauer der Rallye sollte Plumpsack im Starnberger Garten bleiben und mit dem Dittlerschen Pudel schön spielen.

Leider ging das gar nicht gut.

Plumpsack machte sich seine eigene Gaudi. Er hetzte den Liebling des Hauses in der festen Absicht, ihn einzuholen. Aber er stieß dabei Töne aus, die auf Mordlust schließen ließen. Deshalb wurde der Pudel ins Haus gerettet.

Er rächte sich durch atemloses Kläffen.

Alle Bewohner des Hauses und der angrenzenden Grundstücke fieberten dem Augenblick des Starts entgegen, an dem Plumpsack als Teilnehmer der Rallye (Notlösung in vorletzter Minute) aus dem Grundstück verschwinden, der Pudel aus seinem Exil und die Anwesenden von seinem in steigender Hysterie sich überschlagenden Gekläff befreit sein würden.

Gundi Ferstl und Bussi Laube trafen mit einem alten R 4 ein, der zur Zeit nur auf drei Töpfen lief und vierzehn Liter soff.

»An unserem Benzinverbrauch gemessen, fahren wir einen Wagen der Spitzenklasse«, verkündete sein Besitzer. »Aber wir rasen deshalb nicht. O nein.«

»Wir verstehn uns eben auf das wahre Understatement.«

Eine Viertelstunde nach ihnen fuhr Maxl Moser mit der Prominentenhalsnasenohrenarzttochter vor.

Vera war bis zur Taille nackt unter einem durchsichtigen Hemd.

Rieke, die im Gras saß, zwischen den Knien ihren Hund, mußte immer wieder hingucken. Und das nicht ohne Neid.

Einmal ohne BH gehen, ohne daß es bei jedem Schritt wogte!

Sixten, der als Fotograf an der Rallye teilnahm, verschwendete einen halben Film an ihre Ankunft.

Vera sah sich suchend um. »Bob noch nicht da?«

»Er holt seinen kleinen Bruder vom Flughafen«, erinnerte Max und nahm auf dem schattigen Teil des Rasens Platz, wo Bussi Laube, auf dem Bauch liegend, mit einem anderen ein Spiel spielte, das Superhirn hieß.

Ein paar Rallyeteilnehmer schauten zu, andere führten ein Fachgespräch. Es ging um Veras zukünftiges Auto, das jeden Porsche »versägte« und auf breiten »Puschen« einen heißen Reifen fuhr!

Keiner bemerkte den dezenten Auftritt der Gebrüder Taschner.

Es war Bussi Laube, der seine angebrochene Colaflasche suchte und dabei hochguckte und sich feststarrte und staunend »Hee –« machte. »Schaut's doch mal!«

Neben Bob Taschner stand ein rundlicher, südländischer Herr in Flanellhosen und korrektem Blazer. Beim zweiten Hinschaun war er höchstens 17 Jahre alt. (Er war erst fünfzehn.)

»Das ist mein Bruder Pepe«, stellte Bob vor und schwenkte einen gestreiften Schlips. Wenigstens den hatte er ihm vom Hals strippen können. »Er kommt gerade aus Mexiko.«

Pepe machte eine kleine Verbeugung, die von allen im Grase liegenden Rallyeteilnehmern stumm beantwortet wurde.

»Ja, da kann man wohl nichts gegen machen«, sagte Bussi und wandte sich wieder dem »Superhirn« zu.

Bob Taschner stellte seinen Bruder Vera vor, dann brachte er ihn bei Friederike unter mit der Erklärung: »Wir drei werden zusammen die Rallye fahren.« Und kehrte zu Vera zurück.

Rieke und Pepe standen sich gegenüber und lächelten. Ein drolliges Kerlchen, war ihr erster Eindruck. Sie mußte irgend etwas zu ihm sagen. Sie sagte: »Hattest du einen guten Flug?«

»O ja, danke. Bis auf Luftturbulenzen hinter Nassau verlief er ziemlich ruhig.«

Rieke war beeindruckt. Dieser junge Mensch wußte sogar, wie der Ort unten auf der Erde hieß, über dem es oben in der Luft gewackelt hatte. Sie sahen sich nach Bob um.

Er nahm gerade Abschied von Vera – eine Umarmung und noch eine und das letzte Bussi durch die heruntergekurbelte Wagenscheibe, während Maxl Moser bereits den Motor anließ, denn sie waren das erste Team, das startete.

Die Rallye hatte begonnen.

4

Bobs Fuhre erhielt die Nummer Sieben.

Gleich beim Einsteigen in das Auto gab es Schwierigkeiten, ausgelöst durch Plumpsack. Er hatte sich
noch rasch in einem flachen Teich erfrischt und
duftete wie Venedig im August.

Zudem entwickelte er eine spontane Zärtlichkeit
für seinen Sitznachbarn, stieg Pepe auf den flanell-
nen Schoß und wollte ihn unbedingt aufs Ohr küssen, was diesem nicht recht war.

Dann wurde der Startschuß für Team Sieben neben
seinem Wagen abgefeuert. Plumpsack war nicht
schußfest. Er sprang durch das offene Wagenfenster und wetzte blindlings die Straße hinunter.

Als sie ihn endlich eingefangen hatten, spürten sie
zum ersten Mal die zweiunddreißig Grad im
Schatten. Vorhin, im Garten, hatte eine leichte
Seebrise die Hitze zu idealem Ferienwetter ver-
klärt gehabt. Damit war es nun vorbei.

Lonka Dittler trat noch einmal an ihren startbereiten Wagen und wünschte ihnen viel Spaß. »Fahrt
vorsichtig. Ihr habt Zeit. Hier ist euer erster Etap-

penzettel und ein Notumschlag für den Fall, daß ihr verlorengeht. Und wenn ihr Fragen habt . . .«

»Ja«, sagten Bob und Rieke synchron.

»Ja?«

»Wir haben überhaupt keine Ahnung, wie es lang geht.«

»Das ist ja gerade der Witz dabei«, lachte Lonka.

Bob hupte verabschiedend, drückte den Gashebel durch und schoß davon. Nach etwa zweihundert Metern kam ihm ein Gedanke, und er fuhr den Wagen an den Straßenrand: »Wo müssen wir eigentlich hin?«

Rieke hatte inzwischen die Wanderkarte über ihre Knie gebreitet und studierte den Etappenzettel.

»FAHRT AUF DEM DIREKTEN WEG NACH KEMPFENHAUSEN. DORT BIEGT NACH LINKS AUF DEN ›AMMENHÜGEL‹ AB.«

Gemeinsam beugten sie sich über die Wanderkarte, stießen mit den Köpfen zusammen, sagten beide: »O Verzeihung« – und waren sich so fremd.

Riekes Finger fand zuerst den Ort Kempfenhausen am Ostufer des Starnberger Sees. Bloß den Ammenhügel . . .

»Vielleicht ist das eine scherzhafte Verschlüsselung des richtigen Namens.« Bob suchte die Gegend nach einem Synonym ab. Er stieß dabei auf den Milchberg. »Na bitte. Wie ich schon sagte – ein Scherz.« Daß er so gar nicht in ihrem vollbesetzten Auto zündete, mochte daran liegen, daß ihnen die übermütige Einstellung fehlte, die routinierte Teams als Selbstverständlichkeit mit auf eine Rallye nehmen.

Rechts der Ostuferstraße, die sie in Richtung Kempfenhausen fuhren, breitete sich eine Wiese aus, ging in eine buntwimmelnde Badewiese über. Das gegenüberliegende Ufer stieg sanft und grün zu einem Hügel an mit gelben und weißen Hausgesichtern und dem Turm einer Barockkirche . . .

»Schön ist das hier«, sagte Rieke entzückt, »hier könnte ich bleiben . . .«

»Steht da nicht noch mehr auf unserem Zettel?« erinnerte Bob Taschner.

»Ach ja – Moment«, er war ihr vom Schoß gerutscht, sie begann, ihn eilfertig zu suchen.

»Plumpsack stinkt«, sagte Pepe von hinten.

»Weil er naß ist«, sagte Bob.

»DAMIT EUCH DIE FAHRT NICHT LANG WIRD, LÖST NACHSTEHENDE FRAGEN: Erstens: IN STARNBERG GIBT ES EINEN HOCHALTAR VON IGNAZ GÜNTHER. WO STEHT ER?«

Keiner schnipste mit dem Finger, weil es keiner wußte.

»Was steht denn bei zweitens?« fragte Bob.

»IN STARNBERG GIBT ES EINE VERKAUFSSTELLE FÜR
DAS MEISTVERKAUFTE INSEKT DER WELT! WIE
HEISST DAS INSEKT?«

»Bienenhonig«, sagte Bob sofort.

»O Gott«, sagte Pepe.

»Was gibt es denn sonst noch für Insekten? Sagt
doch mal.«

»Ameisen.«

»Fliegen.«

»Spinnen.«

»Kanaken?« fragte Rieke.

»Das sind keine Insekten.«

Bob fuhr den Milchberg hinauf.

»Vielleicht Käfer?«

»Was für welche? Maikäfer?«

Hinter ihnen regte sich Pepe: ». . . und könnte
es nicht sein, daß der VW-Käfer damit gemeint
ist?«

Rieke schaute sich nach ihm um, Ehrfurcht im
Auge.

»Was sagen Sie jetzt?«

»Fabelhaft.«

»Und so sind wir Taschners alle«, versicherte
Bob.

»Ja, ja, Bienenhonig«, erinnerte Rieke.

Nach diesem ersten Erfolg erwachte so etwas wie
Spieltrieb in ihnen.

Auf der Höhe des Milchbergs begegnete ihnen

Sixten in Paul Herwarts Wagen. Sie hielten kurz nebeneinander.

»Haben Sie Vera gesehen?« fragte Bob.

»Ja.«

»Ja und?«

»Die ist schwerbeschäftigt. Sie schaut zu, wie Maxl nach einem Schatz buddelt.«

»Was für 'n Schatz?« wollte Rieke wissen.

»Ein Nußhörnchen. Wenn man reinbeißt, ist Stanniolpapier drin. Wimmert einem die Zahnplomben auf. Und in dem Stanniol ist der nächste Streckenhinweis eingewickelt.«

»Auf so was muß man erst mal kommen.«

Sixten schoß ein paar Fotos von Team Sieben.

»Und Vera?« fragte Bob schon wieder.

»Läßt Sie grüßen und Ihnen ausrichten, der Maxl hätte auch ein Funkradio in seinem Auto. Sie möchten doch mal anrufen.« Leider hatte sie vergessen, Sixten das Codewort mitzuteilen.

»Wie gut«, sprach Pepe aus, was Rieke dachte. »Sonst müßten wir uns pausenlos die Schmuserei anhören.«

Als sie weiterfuhren, wandte sich Bob an seine Partnerin: »Ihr Freund ist Fotograf?«

»Zur Zeit ist er alles, was ihm ein paar Mark einbringt.«

»Arbeitslos?«

»Ja, leider.«

»Schon lange?«

»Im April sollte Sixten bei einem Hoch- und Tief-
bauunternehmen anfangen. Aber im März hat es
bereits Konkurs angemeldet. Seither schreibt er
sich die Finger krumm, aber er kriegt nichts wie
Absagen. Wenn Firmen heute einen Betriebswirt
einstellen, dann nehmen sie zuerst einen, der bereits Erfahrungen hat.«

Während dieses ersten privaten Dialogs zwischen
den Rallyepartnern rumorte es auf den hinteren
Sitzen. Als sich Rieke umschaute, saß Pepe auf
Plumpsacks Platz und Plumpsack auf Pepes.

»Warum?«

»Es war seine Idee«, sagte Pepe bedauernd, »es war
ihm hier wohl zu naß.«

Sie fuhren auf verschlüsselten Pfaden zwischen
versengten Weiden und buschigen Hecken ihrem
nächsten Ziel entgegen:

»DA, WO EIN REH IM BAUM HÄNGT, MACHT EINE
45-GRAD-DREHUNG NACH RECHTS . . .«

Sie begegneten dem Reh. Es wetzte mit ver-
schrecktem Blick aus einem Naturschutzschild,
hinter ihm loderte Waldbrand.

»Und nun?«

»AB IN DEN WALD!«

Darüber freuten sich alle vier Insassen, denn auf dem Dach ihres Wagens konnte man inzwischen Spiegeleier braten.

»WENN IHR GUT AUFPASST, SEHT IHR EINEN WEI-HER. BRINGT EIN TIER DARAUS MIT – JE GRÖSSER, JE BESSER.«

Noch vor einer Stunde waren sie sich sehr fremd gewesen, jetzt lagen sie einträchtig nebeneinander auf dem Bauch am Rande des Tümpels und fischten in seiner trüben Brühe herum.

»Finden Sie was? Ich nicht«, sagte Bob.

Er zog einen Arm aus der Brühe, wischte die Entengrütze vom Zifferblatt seiner Uhr und bedauerte: »Schon eins. Die Fischhandlungen haben schon zu.« Ihm schwebte ein tiefgefrorener Schollenfang vor, notfalls panierte Fischstäbchen.

»Aber es muß doch was drin sein«, beharrte Rieke. »Zumindest Kaulquappen.«

Und so lagen sie bäuchlings nebeneinander und bewegten den Tümpel und Bob fragte Rieke: »Was machen Sie eigentlich, wenn Sie nicht im trüben fischen?«

»Ich? Och, erst paar Semester Kunstgeschichte, dann habe ich eine Schreinerlehre gemacht und jetzt arbeite ich als Geselle bei einem Restaurator.«

Pepe war mit Plumpsack ausgestiegen und führte ihn an den Tümpel zum Trinken, aber der Hund mochte nicht.

»Findet ihr nichts?« fragte Pepe.

»Gar nichts«, sagten Bob und Rieke.

»Aber Amöben sind auf alle Fälle drin.« Und als sie fragend aufsah, dozierte er: »Äußerst einfach gebaute Einzeller.«

»Kann man die sehen?«

»Mit bloßem Auge nicht, aber man kann sie auch nicht abstreiten.«

Dagegen war nichts einzuwenden.

Bob holte seinen wasserdichten Behälter – ein dekkeloses Einmachglas – aus dem Wagen und füllte es zur Hälfte mit Tümpel.

Dann stiegen alle vier in den Wagen zurück und setzten, über Waldwege humpelnd, die Rallye fort.

»VERSUCHT FOLGENDES ZITAT ZU ERGÄNZEN: DIE REVOLUTION IST WIE . . ., SIE FRISST IHRE EIGENEN KINDER!«

»Wer frißt noch mal seine eigenen Kinder? Die schwarze Witwe, nicht wahr?«

»Schmarrn, die frißt ihren Mann«, sagte Bob, der sämtliche Sender seines Funkradios nach Max Moser durchforschte. Wenn er schon nicht sein Codewort wußte, so hoffte er doch, ihn namentlich zu erwischen. Er kam mit »Schmidtchen Schleicher« und »Mariechen« ins Gespräch, mit einem »Hustenbonbon« und »Ali Baba«, aber Maxl Moser begegnete er nicht.

»Vielleicht hat er sein Gerät nicht eingeschaltet«, überlegte Bob. »So was Blödes.«

»Dich scheint es schwer erwischt zu haben«, meinte Pepe.

»Wie lange kennst du sie denn schon?«

»Die Vera? Bald einen Monat.«

»Wir hatten mal einen Hamster«, erinnerte sich Rieke, »der fraß seine eigene Brut.« Sie sah ihre beiden Partner an, die längst nicht mehr an die gestellte Rallyeaufgabe dachten. »Soll ich nun Hamster hinschreiben oder nicht?«

»Wohin?«

»In das Zitat.«

»Da vorne sitzt ein Team von uns!« rief Pepe.

Unter einem einsamen Baum, nur durch einen tikkenden Zaun von sanftglotzenden Rindern getrennt, hockten Bussi Laube und Gundi bei einer gemeinsamen, piewarmen Cola und versuchten sich im Dichten. Ihr alter Renault stand ein Stückchen abseits mit Schlagseite.

Sie liefen Bobs Wagen vierhändig winkend entgegen.

»Was ist los mit euch?«

»Zuerst hatten wir bloß einen Platten, dann ist auch noch der Wagenheber zusammengebrochen. Habt ihr zufällig einen dabei?«

Bob mußte seinen Kofferraum total entrümpeln, um an sein Handwerkszeug zu gelangen. Friederike half ihm dabei. Sie hob einen bleischweren Koffer wie einen leeren an und setzte ihn mit Schwung auf den Waldboden.

Bob war entsetzt über diesen Kraftakt. »He, können Sie das nicht mir überlassen?«

Ihn hatte von Anfang an ihre jungenhafte Burschikosität gestört, diese fast aggressiv anmutende Selbständigkeit. Und wie kam sie dazu, in Gegenwart von zweieinhalb Männern den Wagenheber anzusetzen.

»Das ist meine Sache«, fuhr er sie an und schob sie beiseite.

»Ja, wirklich«, gab ihm Bussi recht, »du mußt nicht so furchtbar stark und technisch begabt sein, du mußt das wirklich nicht. Wir machen das gerne, auch ohne uns deshalb männlich überlegen zu fühlen.«

Rieke schwieg. Sollte sie ihnen die Tragödie ihrer Kinderzeit erzählen? Sollte sie erzählen, daß sie einmal ein riesiges Elefantenküken gewesen war und sich täglich gegen die Hänseleien ihrer Mitschüler wehren mußte, am wirkungsvollsten im Kraftakt, will heißen, die Lästerer aufs Kreuz legen und auszählen?

Wenn man so aggressiv aufgewachsen war bei gleichzeitigem, mimosenhaftem Innenleben, entwickelte man zum Schutze desselben einen vorbeugend robusten Abwehrstil und eine Selbständigkeit, die sich später nie mehr ablegen ließ, auch einem Mann zuliebe nicht.

Während sie den Reifen wechselten, soff Plumpsack das Weckglas mit der Tümpelbrühe leer.

»Wo kriegen wir jetzt frische Amöben her?«

Bussi Laube und Gundi wußten es auch nicht, aber dafür war ihnen Maxl Mosers Codewort bekannt. Es lautete »Weißbier«.

»QRZ für Weißbier von Moctezuma! – Weißbier, bitte kommen –« Bob steckte verärgert das Mikrophon fort. »Weißbier meldet sich nicht.«

»Wir haben auch keine Zeit für Süßholzraspeln«, sagte Rieke. »Wir müssen jetzt nämlich dichten.«

»Nein.«

»Doch, und zwar einen Sechszeiler. Den müssen

wir auswendig lernen und beim nächsten Strekkenposten aufsagen.«

»Nein, Friederikus, alles tu ich – buddeln, fischen, sägen, kopfstehen, sogar Knöpfe annähen – aber dichten ist nicht drin«, weigerte sich Bob entschieden.

Und Pepe?

Der konnte plötzlich kein Deutsch mehr.

Also Friederike. Sie kroch seufzend in ihren Sitz hinein und hielt sich die Ohren zu wegen der Konzentration.

Bob Taschner schaute ab und zu auf die heftige Stille neben sich, sah ihren Mund lautlos Worte formen, sah sie die Finger aus den Ohren nehmen, eine Zeile schreiben, wieder ausstreichen, drüberdichten, den Zettel zerknüllen und einen neuen beginnen.

»Poesie macht ihr offensichtlich Schwierigkeiten«, meinte Pepe von hinten.

»Wem nicht?«

Endlich hatte Rieke ihr Werk zusammengestümpert, war einerseits darüber erleichtert, andererseits verlegen.

»Es ist schon ziemlich beknackt.«

»Wir erwarten nichts anderes«, versicherte Bob.

»Dann lese ich jetzt vor. Überschrift: eine Juxrallye.«

(Räuspern.)

»Rieke Birkow kommt mit Sixten,
zieht jedoch per Los
den Bob. Ach, verflixten.
Der will Vera.
Ach, nun hat er bloß die Vera
und das ›Weißbier‹ in sein Kopp.
Niemand ist darüber froh.
Pepe kommt aus Mexiko.
(Und voll Erleichterung zum Schluß ein Kinder-
reim:)
Dreht euch nicht um,
der Plumpsack geht um.
Das sind fünf Zeilen mehr als vorgeschrieben. Das
gibt Extrapunkte«, freute sich die Dichterin, und
ihre Partner applaudierten so heftig, daß Plumpsack aufwachte und vorbeugend knurrte.

Das nächste Rallyeziel war ein Dorf, dessen bäu-
erliche Idylle noch nicht von der Einfallslosigkeit
moderner Bungalows zerstört worden war.
Hölzerne Balkone voller Blumenpolster und Bie-
nengesumm.
Mittagsstille. Mistgeruch. Absolute Leere. Nicht
einmal ein Huhn war unterwegs, auch keine

Hunde oder Katzen. Die kühlten um diese Tageszeit ihre satten Bäuche auf den Steinböden dämmriger Hausflure.

Nur um den hohen Maibaum mitten im Ort standen mehrere Teams mit Genickstarre und Ferngläsern, denn – »PRÜFT EURE AUGEN UND ZÄHLT SEINE WEISS-BLAUEN STREIFEN!«

Norbert Hagedorn, der Ehrgeizer, war gerade bei »einundsiebzig – zweiundsiebzig – dreiund . . .« angelangt, da sagte seine Partnerin Dagy ungeduldig: »Geh, Norbertl, schleich di, sonst kumma nimmer weiter.«

Am liebsten hätte er die dumme Gans erschlagen, denn nun mußte er wieder ganz unten mit dem Zählen beginnen.

Pepe bat seinen Bruder, einmal um den Maibaum herumzufahren. Dann riet er ihm: »Bleib ruhig sitzen, ich komme gleich wieder«, und stieg mit Plumpsack aus.

Während der Hund sich am untern Ende des Baumes auspinkelte, zückte Pepe einen schwarzen Gegenstand und drückte mehrmals bedeutungsvoll darauf – ein Gehabe, das Norbert Hagedorn argwöhnisch verfolgte.

Eine Minute später fuhr Team Sieben die Dorfstraße hinunter, und Norbert fiel über Dagy her: »Was sagst! Mit einem Taschenrechner hat er's heraus gehabt – in Null Komma nix!«

Alles hatte Norbertl mitgenommen auf diese Rallye, bloß keinen Taschenrechner!

Pepe übrigens auch nicht. Er hatte nur sein schwarzes Notizbuch so gehalten als ob.

Und seine Freude über den gelungenen Einfall bezauberte Rieke.

José Maria Taschner, genannt Pepe, hatte endgültig den frühreifen jungen Herrn abgelegt.

»Trotzdem wissen wir noch immer nicht, wieviel Streifen der Maibaum hat«, sagte Bob.

»Doch. Zwei. Einen blauen und einen weißen, die drehen sich um den Baum herum.«

Rieke und Bob schwiegen beeindruckt. Dann sagte Bob: »Das kann nur daran liegen, daß Pepe ein Spätling ist. Kinder von älteren Vätern kriegen oft mehr Intelligenz mit als die von jüngeren.«

»Wieviel war Ihr Vater jünger, als Sie geboren wurden?« erkundigte sich Rieke.

»Dreizehn Jahre.«

»Naja –«

»Wie meinen Sie das?« fragte Bob.

So wurden sie langsam vertraut miteinander.

Wer hätte das noch vor ein paar Stunden gedacht!?

»STELLT FEST, MIT WELCHEN BEINEN DIE KUH ZU-
ERST AUFSTEHT!«

Friederike gab sich keine Mühe, über diese Frage
nachzudenken, belästigte auch Bob nicht, sondern
wandte sich gleich an Pepe: »Sag mal, mit welchem?«

Er bedauerte. Das war auch ihm nicht bekannt.
Also hielten sie vor der nächsten bewohnten
Weide und starrten gebannt auf 14 Rinder, von de-
nen drei standen und der Rest schon vor längerer
Zeit zu Boden gegangen war.

»Vielleicht sollten wir den Plumpsack auf sie het-
zen, damit er ihnen Beine macht«, überlegte Pepe.

»Plumpsack ist ein Stadthund. Der fürchtet sich
vor Rindvieh.«

Und so warteten sie denn und warteten.

»Ein Scheißspiel«, sagte Bob und stieg aus. »Ehe
ich mir hier einen Sonnenstich hole, hole ich lieber
frische Amöben. Ich hab' da einen Bach gesehn.«

Mit Plumpsack und dem Einmachglas ging er auf
Safari.

Nunmehr studierten nur noch Friederike und
Pepe die Weide.

»Wie die Hitze alles versengt hat«, sagte sie.
»Wenn das so weitergeht, gibt's kein Futter mehr
fürs Vieh. Ich hab' gelesen, daß sie schon Notschlachtungen vornehmen müssen.«

Das konnte Pepe nicht begreifen. »Notschlachtungen? Wegen dem bißchen Trockenheit? Unsere Rinder haben nicht einmal zur Regenzeit so saftige Wiesen. Sie sind Haut und Knochen. Trotzdem käme keiner auf die Idee, sie notzuschlachten.«

Norbert Hagedorn rollte vorbei, rief hämisch aus dem Fenster: »Ich weiß, mit welchen Beinen die Kuh zuerst aufsteht, aber ich sag's euch nicht.«

»Arschloch«, antwortete Pepe, unendlich blasiert.

»Du lebst ständig in Mexiko?« fragte Rieke.

»O ja – es ist mein Land. Meine Mutter ist Mexikanerin spanischen Ursprungs. Ihre Vorfahren sind schon mit Cortes gekommen. Meinem Urgroßvater gehörten Silberminen. Bis zur Revolution war unsere Familie eine der mächtigsten in Mexiko.«

Das waren stolze Vergangenheiten. Da kamen Riekes Vorfahren nicht mit. Irgendein ahnensüchtiger Onkel hatte die Birkows zwar bis zu den Raubrittern zurückverfolgt. Ihr höchster militärischer Rang im vergangenen Jahrhundert jedoch hatte den eines Stabstrompeters nicht überschritten.

»Deine Mutter ist nicht Bobs Mutter?« fragte sie.

»O – meine Mutter ist noch sehr jung. Sie hat mit sechzehn geheiratet. Bob und meine Stiefschwester Hanna stammen aus der ersten Ehe meines Vaters mit der deutschen Frau. Bob und ich – wir kennen uns kaum. Er ist ja schon mit zwölf nach Deutsch-

land gekommen, und nur mal zu Weihnachten oder in den Ferien ist er bei uns in Mexiko.«
Sie schwiegen eine Weile.
»Und jetzt verlebst du deine Ferien hier?«
»Nein«, sagte Pepe. »Wir haben noch keine Ferien. Erst in zehn Tagen. Aber es macht nichts, wenn ich zehn Tage versäume. Vor den Ferien ist sowieso nichts mehr los in der Schule.«
Bob kehrte mit einem Weckglas voll schwappender, mooriger Brühe und einem bis zum Bauch verschlammten Plumpsack zurück.
»Na bitte, jetzt wissen wir's«, rief er schon von weitem.
»Was denn?«
»Mit den Hinterbeinen zuerst!«
»Wer?«
»Die Kuh, wer sonst!«
»Ach so.« Die hatten sie inzwischen längst vergessen gehabt.
Beim Weiterfahren schaltete er das Funkradio an. Es rauschte gewaltig. Dazwischen hörte man eine Männerstimme, die einer anderen den Stand einer Radarkontrolle mitteilte.
»QRZ für Weißbier von Moctezuma«, sagte Bob ins Mikrophon. »Weißbier, bitte kommen.«
»Hier Weißbier«, antwortete Max Moser.
»Na endlich. Ich versuch es schon die ganze Zeit. Wo habt ihr denn gesteckt?«

»Wir waren Eis essen. Und ihr?«

»Wir leider nicht. – Kann ich mal Vera haben?«

»Ist gerade nicht da. Soll ich ihr was ausrichten? Vielleicht 88?«

»Wartet beim dritten Etappenposten auf uns. Cheerio bye-bye.«

»Was bedeutet 88?« wollte Pepe wissen.

Bob grinste. »Viele Küsse und Liebe.«

»Halten Sie mal Ihr Profil still«, forderte Rieke und zog einen unter ihrem Sitz verstauten Zeichenblock auf ihre Knie.

»Warum?«

»AUF DIESER ETAPPE IST ES AUFGABE DES BEIFAHRERS, EIN PROFILBILD VOM FAHRER ZU ERSTELLEN!«

»Na denn . . .«

Diese Aufgabe gab Friederike Gelegenheit, Bob Taschner ungeniert und – Zug für Zug zu studieren. Sie fing bei seinem starken, mahagoniroten Haar an. Die gerade Stirn geriet ihr so verbeult wie eine Musikerstirn, das lag an den Unebenheiten der Straße. Auch bei seiner leicht gebogenen, kurzen Nase rutschte der Stift ins Willkürliche.

Nun hatte er einen Himmelfahrtszinken. »Das Schwerste ist für mich immer der Abstand zwischen Nase und Mund«, sagte Rieke. »Sie haben übrigens einen interessanten Mund.«

»Das hat mir Vera auch gesagt.«

»Aber schwierig.«

»Das hat sie nicht gesagt.«

»Vera hat Sie auch nicht malen müssen. So. Jetzt kommt das Kinn. Das Kinn, sag ich! Wie soll ich seine Form erkennen, wenn Sie immer nach rechts schauen!?«

»Weil das, was von rechts kommt, Vorfahrt hat«, schimpfte Bob.

Schließlich war er nicht nur das unfreiwillige Modell einer Samstagmalerin, sondern auch noch Fahrer dieses Autos. Er hatte Verantwortungen.

»Nimm deine Sonnenbrille ab«, sagte Pepe, der mit den Ellbogen über den Vordersitzen hing und zusah.

»Lassen Sie sie drauf! Je mehr Brille, je weniger Auge muß ich malen. Jetzt noch die Sommersprossen – Sommersprossen kann ich gut«, lobte sich Rieke.

»Da vorn ist was passiert«, sagte Bob und zeigte auf Norbert Hagedorns Auto, das mit offenen Wagentüren an einem Chausseebaum lehnte.

Norbert selbst lag seitlich auf dem Boden, Dagy Scholz kniete über ihm.

Beim Näherkommen sahen sie, daß Norberts Kopf nicht auf dem Boden, sondern auf einem Bogen Packpapier ruhte, auf dem Dagy mit einem dicken Konturenstift sein Profil nachzog. Dies geschah unter gegenseitigem Angiften und Fluchen.

Norbertl wurde sich seiner lächerlichen Position erst so recht bewußt, als sich Rieke, Bob, Pepe interessiert über ihn beugten und Plumpsack in sein Ohr hineinschnupperte.

»Hau ab –« damit meinte er nicht nur den Hund.

»Momenterl noch!« beschwor ihn Dagy und fuhr mit dem Stift an seiner Gurgel entlang. Anschließend richtete sie sich zufrieden auf. »Itza!« Das Werk war vollendet.

Er schoß in die Höhe wie ein Roß, das man an sensibler Örtlichkeit mit Pfeffer gezündet hat, und klopfte sich den Straßenstaub von den Hosen.

Die anderen studierten inzwischen sein überlebensgroßes, plumpes Profilbild.

Bob sagte: »Kennt ihr die TV-Serie von ›Herbie, dem Monstrum?‹ Ja? Kennt ihr die?«

Mit dieser Bemerkung hatte er sich Norbert Hagedorn zum Feind gemacht. Aber Norbert sollte nicht mehr dazu kommen, sich gebührend an Bob zu rächen . . .

Kaiser-Wilhelm- und Bismarcktürme, von vaterländischen Vereinen um die Jahrhundertwende erstellt, haben etwas gemeinsam: einen trüben Baustil und eine wunderschöne Aussicht.

Auf der Galerie des Bismarckturms oberhalb des Starnberger Sees fand das Wiedersehen zwischen den beiden Leidenschaftern statt. Bob machte mit Vera 88, Vera fütterte ihn mit Knubberkirschen, und Pepe bewegte sich in taktvollem Abstand um das Liebesglück herum. Es interessierte ihn sehr, wie das Mädchen aussah, für das sich sein Bruder zum Trottel machte. Vorhin bei der Vorstellung hatte er kaum auf sie geachtet gehabt.

Indessen lieferte Rieke beim Streckenposten Paul ihren ausgefüllten zweiten Etappenzettel ab, die Amöbenbrühe und das eindrucksvolle Profilbild von Bob Taschner.

Neben Paul saß Sixten auf der Steinbank und legte einen neuen Film ein.

»Na? Wie geht's mit den beiden?« fragte er Rieke.

»Viel besser, als ich befürchtet habe.«

»Aber erst mußt du immer meckern und mich beschimpfen«, sagte Sixten. »Wie ist denn der komische Bruder?«

»Ein Glücksfall. Er *denkt* für uns!«

Teams fuhren weiter, immer neue trafen ein, durstig, verschwitzt und sichtbar verwildernd, aber mit einem Riesenmundwerk, das die Ausflügler aus den Baumschatten der umliegenden Wiesen auf die Turmgalerie lockte. Mancher Dichter wäre selig, wenn zu seinem Vortragsabend so viel Publikum erschiene wie hier auf dem Bismarckturm zum Aufsagen selbstgemachter Verse.

Riekes kräftiges Organ war vor Verlegenheit fast unhörbar. Alle brüllten »Lauter.« Sixten knipste, Pepe und Bussi Laube machten Faxen in ihre Richtung, Bob Taschner, den Arm um Vera gelegt, ließ kein lachendes Auge von ihr. Vera redete in ihren Vortrag hinein, das kränkte die Dichterin. Aber sie ließ sich nichts anmerken.

> »Rieke Birkow kommt mit Sixten,
> Zieht jedoch per Los
> Den Bob. Ach, verflixten,
> Der will Vera.
> Ach, nun hat er bloß die Vera
> Und das ›Weißbier‹ in sein Kopp.
> Niemand ist darüber froh.
> Pepe kommt aus Mexiko.
> Dreht euch nicht um,
> Der Plumpsack geht um.«

Beifall dröhnte vom Turm herab über die Wiesen und den steil abfallenden Wald.

Tief unten lag zwischen grünen Ufern, von einer leichten Brise onduliert, der See voller Segelboote mit bunten Spinnakern: eine Regatta der Schmetterlingsflügel.

»Kommen Sie«, sagte Bob zu Rieke, die sich von diesem Blick nicht trennen konnte, »wir müssen leider weiter.«

Sie eilten neuen Fleißaufgaben entgegen.

»Was ist es denn diesmal?« fragte Bob seine, den dritten Etappenzettel studierende Partnerin.

»BESORGT EINEN WECKER, DER NOCH KLINGELT.«

»Aha, und wo?«

»Vermutlich im nächsten Ort.«

»Heißt das, wir gehen von Haus zu Haus und erzählen den Bauern, wir befänden uns auf einer Juxrallye und hätten die Aufgabe, einen Wecker aufzutreiben, der noch bimmelt und ob sie einen hätten –? Im harmlosesten Fall werden sie uns versichern, daß sie schon besser verscheißert worden sind.«

»Und im schlimmsten?«

»Mistgabel oder Hofhund.«

Rieke hielt sich instinktiv den Hintern. »Trotzdem, wir brauchen einen Wecker.« Denn inzwischen hatte auch sie das Jagdfieber gepackt.

Sie parkten den Wagen mit Pepe unter einer Buche und gingen bis zum ersten Anwesen gemeinsam.

Dann trennten sich ihre Wege. Bob übernahm die linke Ortshälfte und Rieke die rechte. Plumpsack jachelte weiter geradeaus.

Beim ersten Haus hatte sie noch Hemmungen, als sie anklopfte. Aber die Frau, die zwischen den rosa Begonien ihres Holzbalkons auftauchte, unterbrach Rieke, bevor sie recht den Mund aufgemacht hatte.

»I woaß, i woaß! An oiden Wecker suchen S'.«

»Ach, war schon jemand deswegen hier?«

»Jemand? Sie san heuer die vierte –!!«

Und deshalb war bei ihr auch keiner mehr zu holen.

Anschließend stand Rieke in einer niedrigen Küche zwischen Katzen, Kindern und verstreut herumliegender Arbeitskleidung – eine junge Bäuerin durchwühlte die Unordnung, bis ein Zustand wie nach einem mittleren Erdbeben in der Küche herrschte.

Sie wußte genau, daß die Kinder mit einem alten Wecker spielten, noch gestern hatte sie ihn gesehen und irgendwo mußte er ja sein, nicht wahr?

Dann kam die alte Bäuerin herein und sagte, da könne sie lange suchen, den Wecker habe sie vorhin einem jungen Mann verkauft.

»Für zehn Markl!«

Der Jungen war der Wucher peinlich, der Alten überhaupt nicht.

Wenn einer unbedingt etwas haben wollte, wovon es fast nichts gab, dann zahlte er auch jeden Preis dafür – egal, ob das Ding ihn wert war oder nicht.

Auf dieser Einstellung basierte schließlich auch der Antiquitätenhandel.

Rieke schied herzlich von den beiden. Mistgabel und Hofhund hatte sie befürchtet – und was fand sie statt dessen vor? Verständnis und die Bereitschaft, jede Gaudi zu unterstützen.

Nette Menschen waren das hier. Wenn sie nur das Bayerische besser verstehen würde. Die junge Bäuerin hatte ihr zum Abschied noch einen Rat gegeben. Darin kamen die Worte »Wirtschaft«, »Der Wirt is mei Schwager« vor, und aus den begleitenden Gesten entnahm Rieke, daß er für »so a resches, gstandenes Weibsbuid«, wie sie selber eines sei, ein Auge und vielleicht auch seinen eigenen Wecker übrig habe.

Sie rannte trotz der Hitze zur Wirtschaft hinüber, besorgt, es könnte ihr einer zuvorkommen.

Leider war nur die Wirtin hinter der Theke, und die hatte überhaupt kein Auge für Riekes resche Vorzüge. Trotzdem bestellte sie »eine Limo und einen alten Wecker mit Schlag« bei ihr. Die Wirtin erinnerte sich, daß noch einer von der letzten Bedienung oben in der Kammer sein müßte.

Sie rief nach ihrer Tochter, die im Hof spielte, und schickte sie auf die Suche.

So kam Rieke zu einem bildschönen, maigrün emaillierten, einbeinigen, einzeigrigen Wrack. Es ließ sich zwar nur mehr mit Hilfe einer Zange aufziehen, aber es hatte noch Schlag! Die Kostbarkeit an ihren Busen gepreßt, verließ sie in dem Augenblick die Wirtschaft, als Bussi Laube um die Ecke bog, an seinem Gürtel Plumpsack hinter sich herziehend.

»Der ist das einzige, was ich hier hab' auftreiben können. Am Waldrand oben war er einer Katze nach.« Und als er das herrliche Maigrüne in ihren Händen sah, kriegte er Stielaugen.

»Herrschaftzeiten! Is der schee –!«

Neidvoll trabte er neben ihr her. »Und du glaubst nicht, daß du den verkaufen möchtest? Nicht einmal für zehn Mark?«

»Nein.«

»Aber für fünfzehn. Rieke, du machst ein irres Geschäft, wenn du . . .« Er brach ab und zeigte staunend auf Bob Taschner, der soeben mit einer Mittelstanduhr aus einem Vorgärtchen keuchte. Das Ding war nicht nur unhandlich, sondern auch so bleischwer, daß seine Halsadern hervorstanden.

»Aber – mit – Westminsterschlag –« versicherte er atemlos.

Im selben Augenblick stolperte er über Plumpsack, der begrüßend an ihm hochsprang, weil er ja schon seit ein paar Stunden mit ihm gut bekannt war.

Das war das Ende der Mittelstanduhr mit Westminsterschlag, für die er einer alten Rentnerin ein Vermögen gezahlt hatte.

Sie zerbarst auf dem Kopfsteinpflaster. Rieke, Bob, Bussi Laube und auch Plumpsack umstanden die Trümmer mit den vielen Uhrwerkteilchen wie ein Grab.

»Da kann man nichts machen. Das ist eben Schicksal.«

»Aber wir haben ja Gott sei Dank noch meinen Wecker«, frohlockte Rieke.

Bussi verabschiedete sich von ihnen bereits an der Unglücksstelle. Rieke und Bob gingen zu ihrem Wagen zurück.

Einmal sah Rieke sich um, sah, wie Bussi auf dem Pflaster kniete, um die vielen zerborstenen Teile des Uhrwerks aus dem Staub zu klauben.

Der Anblick rührte sie so sehr, daß sie Bob auf ihn aufmerksam machte.

»Da sehn Sie echten Rallyesportler-Geist, mein Herr.«

In einem Dorf, dessen Name durch das Lösen eines Kreuzworträtsels ausfindig gemacht werden mußte, lebte ein Hund, welcher Wastl hieß und in dem Rufe stand, ein bissiges Viech zu sein.

Die Aufgabe lautete: »BRINGT VOM WASTL EIN PAAR HAARE MIT! WIE IHR DAZU KOMMT, IST EURE SACHE!«

Die Bäuerin, bei der er als Hofbewacher in Lohn und Knochen stand, sah vom Küchenfenster aus erst ein fremdes Auto vor der Hofeinfahrt parken, dann ein zweites, schließlich ein drittes.

Allen dreien entstiegen nach ihrer Meinung reichlich deppert ausschauende junge Leute, im ganzen sechs. Die ließen sich immer paarweise am Straßenrand nieder, mit dem Rücken gegen den Gartenzaun und warteten. Und warteten. Das Nichtwissen, worauf, machte die Bäuerin nervös. Als sie es nicht mehr aushalten konnte, kam sie heraus und fragte, ob die jungen Leute wegen etwas Bestimmtem hier sitzen würden.

O nein, sagten alle sechs und schauten so verdammt treuherzig. Die Mädchen machten Handarbeiten, die jungen Männer hielten jeder eine Schere und ein Wurstbrot in den Händen, dessen Ränder sich vor Hitze krümmten.

Und dann machte Vera einen Fehler. Sie fragte die Bäuerin, wann denn ihr Hund wiederkäme.

Ja, das sei ziemlich unbestimmt, weil der Wastl

vielleicht nach Happberg hinüber war, vielleicht
aber auch nach Ambach. In beiden Orten gab es
zur Zeit »hoaße Weiberln«.

»Woas wullts' denn vom Wastl?« fragte sie, plötzlich einen trüben Zusammenhang zwischen den
startbereiten Scheren und Wurstbroten und ihrem
Hund witternd.

»Nix, gar nix«, beteuerten alle sechs.

Da ging sie ins Haus zurück, schickte aber einen
Enkel auf die Straße, damit er die Fremden im
Auge behalte. Inzwischen trafen zwei weitere
Teams ein und auch Sixten mit seiner Kamera.

»Ich hoffe, ich komme noch rechtzeitig zum Haar-
schneiden«, rief er.

»Du hast noch viel Zeit«, versicherten sie ihm. »Er
ist auf Brautschau.«

»Der Wastl?«

»Pschscht!« Mit einem Blick auf den Bauernen-
kel.

»Hat er nicht hinterlassen, wann er wieder-
kommt?« flüsterte Sixten.

Alle schüttelten stumm den Kopf.

»Das ist ja das Ungewisse.«

»War Team sieben schon hier?« fragte Sixten.

»Nein, ich versteh das nicht«, sagte Vera. »Bob
geht doch sonst nicht verloren.«

»Vielleicht haben sie sich gesagt – was werden wir
uns vom Wastl zerfleischen lassen, wenn der

Plumpsack auch Haare hat, die man abschneiden kann«, überlegte ihr Partner Maxl. »Vielleicht sind sie schon viel weiter als wir ahnen.«

»Was machen wir nun?« überlegte Bussi Laube.

Gundi stieß ihn in die Seite und zeigte auf einen Rauhhaardackel, der einsam und arglos des Wegs tippelte.

Bussi erhob sich ganz langsam. Die anderen Teams schienen den gleichen Gedanken zu haben.

Der Dackel fühlte sich plötzlich von gebückten Gestalten beschlichen, hörte hohe, lockende Töne, traute ihnen nicht, auch nicht den Düften ihrer gekräuselten Wurstschnitten, legte sicherheitshalber einen schnelleren Gang ein, fühlte sich verfolgt und sauste endlich um sein Leben die Dorfstraße hinunter bis zu dem Loch im Zaun des Anwesens, in dem er zu Hause war.

Kaum in Sicherheit, pöbelte er seine Verfolger durch die Holzlatten an.

Resignierend kehrten sie zu ihren Autos zurück. Die Mädchen schmückten sie mit den Wimpeln, die sie inzwischen genäht hatten.

Maxl sagte: »Wir müssen uns was anderes einfallen lassen. Das mit dem verflixten Mistviech funktioniert nicht.«

Im selben Augenblick fühlte er Veras sinnenden Blick auf seine drahtigen Haare gerichtet.

»Okay«, sagte er, »okay, okay«, während sie ins

Auto stiegen. »Aber nur hinten, wo's keiner sieht. Und nur eine halbe Locke!«

Sie schnitt mit Wollust in seinen Schopf hinein.

»Schad, daß ich keinen roten Nagellack da hab'.«

»Wofür?«

»Weil's realistischer aussehen tät, mehr wie ausgerissen, verstehst?«

Das verstand er schon.

»Weißt was?« sagte er nach längerem Überlegen, »nimm von der feinen Mettwurst vom Wastl-Lockbrot, die hat auch einen blutigen Effekt.«

Zur gleichen Zeit stellten Bob und Rieke fest, daß sie vom Weg abgekommen sein mußten.

Sie holperten über Waldpfade voller Sonnengeflirr und Schatten, zu schmal zum Wenden.

»Hätten wir bloß nicht die Mutprobe mit dem Wastl ausgelassen«, bedauerte Bob. »Jetzt stehn wir da –«

»Wie Gretel und der böse Wolf. – Es kann hierlang nicht gut gehen. Wir fahren nach links, wir müssen aber zum See und der liegt rechts von uns.« Sie sah ihn an. »Was machen wir 'n jetzt?«

»Max und Vera anrufen«, sagte Bob, und zum ersten Male war auch Rieke über den Schmusekontakt per Funkradio froh.

Moctezuma rief Weißbier. Weißbier antwortete nicht.

»Was tun Sie eigentlich sonst so? Ich meine, wenn Sie Vera nicht nachlaufen?« fragte Rieke und streckte ihre steifgesessenen Glieder.

»Dann laufe ich durch alle Ressorts einer Münchner Firma, die Maschinen zur Verpackungsherstellung fabriziert. Ich hab' Maschinenbau studiert.« Er zog das Mikrophon von neuem an den Mund. Ehe er radiotechnisch aktiv wurde, sagte er noch zu Rieke: »Ab ersten Oktober fange ich bei der Niederlassung dieser Firma in Mexico City an. – Noch eine Frage?«

»Nein«, sagte Rieke und fächelte sich mit dem Etappenzettel Luft zu.

»QRZ für Weißbier von Moctezuma – Weißbier, bitte kommen!«

Endlich antwortete Max Moser.

»Hier sind ein paar Verirrte«, sagte Bob, »führe sie auf den rechten Weg zurück.«

Aber Maxl sträubte sich. »Bin ich euer Pfarrer? Schaut's zu, wie ihr das selber managed.«

»Maxl, sei nicht herzlos. Wir sind neu hier. Gib mir mal die Vera.«

»Bob, Liebling, wo steckst du?«

»Im Wald.«

»Wo im Wald?«

»Wenn ich das wüßte, würde ich dich etwas Netteres fragen.«

»Also paß auf –« Danach folgte ein Wortgerangel zwischen Vera und Max.

»Der Maxl läßt mich nicht – ich sag's dir trotzdem – fahr zurück – Maxl! Ich warn dich!!! – Bob, hörst du mich? Fahr zurück bis dahin, wo du falsch abgebogen bist. Da ist ein Schild ...« Ende der Durchsage.

Er blieb dennoch auf Empfang in der Hoffnung, Vera würde sich noch einmal regen.

Er hatte endlich eine Wegstelle gefunden, die breit genug war, um seinen Wagen zu wenden.

»Unsere Anhängsel schlafen«, sagte Rieke nach einem Blick auf Plumpsack und Pepe, der mit leicht geöffnetem Mund in seiner Wagenecke hing, den Schwankungen des holperigen Weges wehrlos ausgesetzt.

»Wenn seine Intelligenz pennt, schaut er wirklich wie fünfzehn aus«, meinte Bob. »Manchmal habe ich Schwierigkeiten, mir vorzustellen, daß der da mein kleiner Bruder ist. Wir kennen uns ja kaum. Wenn ich meinen Vater in Mexiko besuchte, war da ein fürchterlich verzogenes Muttersöhnchen, ein echtes Ekel, das alle tyrannisierte – und auf einmal ist er ganz manierlich. Müssen Sie doch zugeben.«

»Ich bin in ihn verschossen«, versicherte Rieke.

Eine Weile fuhren sie schweigend, dann sagte Bob: »Wissen Sie, Friederikus, ich freu mich, daß wir mit Ihnen zusammen diesen Blödsinn machen.«

»Ja. Es geht ganz gut mit uns.«

Sie hatten die Weggabelung erreicht, an der sie zuvor falsch abgebogen waren.

Rieke stieg aus und suchte die Bäume ab nach einem Schild, und als sie es fand, rief sie Bob herbei.

»Lesen Sie mal!«

»EES MUZ RHI TMMOK, TRHAF GNALTNE REIH RHI NNEW!«

Sie überlegten, ob das ceylonesisch sei oder tibetanisch oder vielleicht von rechts nach links zu lesen. Letzteres erwies sich als die richtige Lösung: »Wenn ihr hier entlang fahrt, kommt ihr zum See!«

Bob strebte ins Waldesdickicht hinein, er mußte für kleine Buben. Rieke versuchte inzwischen, im Wagen ein wenig Durchzug zu veranstalten. Aber außer einer Wespe zog nichts durch.

So setzte sie sich auf den Waldboden und lüftete den Jeansrock von den Schenkeln und träumte von einem kühlen Bad.

Vögel zwitscherten hoch über ihr in den Baumkronen, und im Funkradio unterhielten sich zwischen Piepsen und Rauschen ein Mann und eine Frau. Sie fragte ihn, ob er bei ihr hereinschauen

wolle, und er fragte sie, ob sie was guats zum Essen
hätte, und sie sagte Schweinsbraten mit Knödel
und er sagte, er würde in zehn Minuten bei ihr sein
und ob er bei der Vorder- oder bei der Hintertür
'neikommen solle und sie: »Ich schließ dir hinten
auf.«

Für Rieke war das alles neu, was sie heute erlebte.
So außerhalb der Uhr. Und weil sie gar keinen
Verbrauch von Menschen hatte – wen lernte sie in
ihrem Berliner Alltag schon kennen –, nahm sie die
Bekanntschaft mit Bob und Pepe Taschner, die anfangs mit so viel Skepsis belastet war, wie ein Ge-
schenk.

Bob und Rieke und Pepe und Plumpsack – eine
Zufallsgemeinschaft in einem verschwitzten Auto,
die plötzlich ein starkes Zusammengehörigkeits-
gefühl entwickelt hatte.

Ameisen rannten ihr über die nackten Beine,
darum stand sie auf, schüttelte ihren Rock aus und
hörte dabei eine aufgeregte Männerstimme. Sie
wußte anfangs nicht, woher sie kam – Bob war es
jedenfalls nicht – »Notruf – Notruf –«

Dann fiel das ihr Citizenband ein, das Funkradio.
»Hier spricht Weißbier – wir haben Unfall – brauchen Notarzt – bitte kommen – Notruf – Notruf
– bitte kommen –«

Das war Maxls Stimme.

Rieke griff nach dem Mikrophon und rief: »Ja,

Max, ich höre – Gottes willen – wo seid ihr denn – sag doch mal?«

Er sprach gleichzeitig seine dringenden Notrufe weiter.

»Max, hörst du mich nicht? Hier ist Rieke. Wie macht man das mit dem verdammten Ding –« Sie zerrte am Mikrophon. »Maxl, hallo –«

»Notruf – Notruf – bitte melden –«

Friederike sprang aus dem Wagen und schrie nach Bob, ein Echo warf seinen Namen zurück.

»Was ist los? Rieke, was ist passiert?«

»Maxl – schnell – sie haben Unfall – schnell – ich kann mit dem Funk nicht umgehen.«

Bob kam aus dem Wald gerannt. Noch ehe er im Wagen saß, hatte er das Mikrophon in der Hand. »Sie müssen die Sprechtaste drücken, wenn Sie gehört werden wollen«, sagte er sachlich zu Rieke, der vor Aufregung die Knie zitterten.

Dann meldete er sich bei Max. »Seid ihr verletzt?«

»Ja – die Vera. Am Kopf. Sie blutet arg.«

»Gib mir euren genauen Standort«, und nachdem Max diesen zusammengestottert hatte, startete Bob den Motor durch. »Wir verständigen den Notarzt. Bleibt auf Empfang.« Und zu Rieke. »Suchen Sie auf der Karte den nächsten Ort.«

Sie fegten mit stäubender Heckwolke, die entrüstete Spaziergänger am Aufschreiben ihrer Nummer hinderte, durch den Wald. Bob gab Max Anweisungen, was er mit Vera zu machen habe. Er schien über die Maßen hilflos und dankbar für jeden Rat. Wenn Bob ihn aufgefordert hätte, Vera auf den Kopf zu stellen, er hätte auch das blindlings versucht.

Kaum hatten sie den nächsten Ort erreicht – eine altbayerische Idylle um einen Zwiebelturm, stoppte Bob den Wagen vorm Wirtshaus, und Rieke rannte hinein.

Währenddessen beruhigte er Max, der völlig durcheinander war. »Rieke ruft den Notarzt an. Was ist mit Vera?«

»Die Schulter tut ihr weh, sagt sie. Wahrscheinlich geprellt. Und eben die Stirn rechts –«

»Wie ist es denn passiert?«

»Idiotisch«, fluchte Max, »völlig idiotisch. Ein Eichkater ist uns über den Weg. Vera hat mir ins Steuer gegriffen, damit ich ihn nicht überfahre. Dafür kleben wir jetzt am Baum.«

»Schlimm?«

»Es kann einem das Herz umdrehn«, aus Maxl wimmerte der gewesene Autobesitzer, der in zwei Tagen mit seinem Wagen in Urlaub hatte fahren wollen.

Bob sah Rieke aus dem Wirtshaus auf den Wagen zurennen. Sie gab ihm schon von weitem durch Zeichen zu verstehen, daß der Notarzt auf dem Wege sei.

»Wir kommen jetzt direkt zu euch. Was macht Veras Wunde?«

»Immer, wenn's durchblutet, bapp ich ihr noch einen Verband drauf«, versicherte Maxl, »aber es macht mich fertig – ich kann kein Blut sehen . . .«

Er brach ab, Bob und Rieke lauschten nervös – nichts.

»He, Max!« brüllte Bob beschwörend. »Nicht abnippeln. Reiß dich zusammen, verdammt noch mal. Wir kommen – wir kommen ja schon!«

Und während sie die Achsen des Wagens strapazierten und den Baumstämmen um Zentimeterbreite entgingen, hielt er den armen, wieder hörbar gewordenen Max durch ständige rhetorische Fragen am Leben.

Seine grüne Stimme hing hilflos in Bobs Unerbittlichkeit. Gab Antwort wie ein aufgezogenes Maschinchen – und gehörte doch zu einem Barockschrank von einem Kerl.

Nur einmal mischte Bob Gefühl ins Gespräch, nur einen Satz lang.

»Sag Vera – ich bin gleich bei ihr und – alles Liebe – sag ihr das!«

Maxens Antwort war ein Würgen, gefolgt vom hörbaren Hinschmeißen des Mikrophons auf einen harten Gegenstand.

»Herrgott noch mal«, Bobs Finger trommelten

aufs Steuerrad, »wo steckt er jetzt schon wieder –«

»Ich glaub, er kotzt«, meinte Rieke verständnisvoll, »er kann doch kein Blut sehen.«

»Dann soll er sich zusammenreißen!«

»Das tut er ja – trotzdem. Wenn einer kein Blut sehen kann – das ist noch lange kein Charakterfehler. Ich kann ihn verstehn.«

Bob sah sie kurz und kopfschüttelnd von der Seite an. Immer die Großen, Starken haute es zuerst um.

Kurz vor ihnen erreichten Bussi Laube und Gundi die Unfallstelle – nichtsahnend und daher um so geschockter, als sie Maxens Wagen am Baum und Vera am Straßenrand liegen sahen. Max lief ihnen entgegen.

»Ein Glück, daß ihr kommt!« Er war nun nicht mehr allein mit seiner Hilflosigkeit, Bussi und Gundi nahmen ihm die Verantwortung ab.

»Ein Glück«, sagte auch Vera, als die beiden sich zu ihr knieten. »Der mit seinen zwei linken Pratzen – a Wunder, daß er mi net umbracht hat.«

Gundi nahm fünf von den acht Mullbinden von Veras Stirn.

Sie waren angerissen, verheddert, man sah ihnen Maxens ungeschickte, aufgeregte Hände an.

»Wie geht's dir denn? Hast du Schmerzen?« fragte Bussi, butterweich vor Mitleid.

»Och – bisserl gaga im Schädel und die Schulter tut weh – aber sonst is nix.«

In diesem Augenblick erreichte Bobs Wagen die Unfallstelle.

Als er heraussprang und auf sie zulief, verlor Vera ihre forcierte Tapferkeit, sie ließ sich sinken. Gundi kam es so vor, als ob sie plötzlich ein bißchen platter geworden wäre. Ihre Stimme war nur mehr ein Hauchen – »Hei –« und ihr Lächeln schwebte.

Bob nahm ihre Hände. »Mein armer, armer Liebling . . .«

»Es ist nicht so schlimm«, versicherte sie tapfer.

»Wenn ›Liebling‹ nicht ins Steuer gegriffen hätte, wär das alles nicht passiert! Und wenn sie sich angeschnallt hätte, hätte sie nicht einmal eine Beule«, fluchte Max, der seelisch wieder zu Kräften kam.

»Laß sie in Ruh«, fuhr Gundi ihn an.

Aber Maxl war nicht zu stoppen. »Alles wegen so einem saublöden Eichkater! Damit, daß ich den nicht überfahr, derrennen wir uns beinah selbst!«

»Maxl, bitte!«

»Schaut's euch die Karre an. Hin. Total hin –! Der ganze Rahmen verzogen. Neue Motorhaube und Kotflügel bräucht ich auch – aaaber tierlieb! Aber tierlieb!!!!«

»Halt den Rand«, sagte Bob und schob ihn fort. »Du nervst uns!«

Zuerst traf der Notarzt ein, dann die Funkstreife. Plumpsack, der bisher apathisch jachelnd im Wagen gelegen hatte, drehte beim Anblick der Polizisten durch. Er haßte Uniformen. Sein Kläffen ohne Punkt und Komma weckte selbst Pepe.

Der rappelte sich aus seinem Tiefschlaf hoch und plierte verschlafen aus dem Wagenfenster.

Er sah lauter Rallyemitglieder – Bussi, Gundi, Maxl und die eigene Mannschaft zwischen Polizisten und weißgekleideten Männern, die Bobs Leidenschaft, die Vera, zu einem Sanitätswagen führten.

Er rief Rieke an, die ihm am nächsten stand.

Sie wandte sich zu ihm um. »Ja?«

»Was ist denn das schon wieder für eine Aufgabe?« fragte Pepe.

5

Der Himmel erlosch in einer langen, von lautlosen
Schwalben durchwehten Dämmerung.
Auf dem See standen nun keine Segel mehr, dafür
zog das Tanzschiff weiß illuminiert seine langsa-
men Kreise – es sah aus, als ob es zu König Lud-
wigs posthumer Geisterflotte gehörte.
Auf den Ufern flimmerten Lichter auf – ein heißer
Sommertag sank in eine heiße Nacht.
Oberhalb von Tutzing, auf der Ilkahöhe, fand die
Rallye ihren Abschluß. Um ein Lagerfeuer hock-
ten die Teilnehmer, kauend und trinkend, harkten
gare Kartoffeln aus der Glut und hielten Würstl an
Astgabeln in die Flammen. Wer sich die Finger an-
sengte, stippte sie zum Kühlen in sein Bier. Und
alle diskutierten den Unfall, von dem die meisten
erst am Ende der Rallye erfahren hatten.
Vera ging es gut, außer einer Platzwunde an der
Stirn und Schulterprellungen war ihr nichts geschehen. Bob hatte sie vom Krankenhaus nach
München gefahren und Pepe mitgenommen. Der
Abschied von Rieke war ein flüchtiges Hände-
schütteln und Bedauern gewesen, ein Nachwinken

ihrerseits, das im fortfahrenden Auto nur von Pepe beantwortet wurde. Dann hatte sie sich nach Starnberg zum Dittlerschen Hause durchgefragt – ein nicht enden wollender Fußmarsch, erschwert durch Plumpsack, der sich auf den Hintern setzte und ziehen ließ.

Sixten holte sie später ab.

Um zehn Uhr abends war Preisverteilung auf der Ilkahöhe. Sieger nach Punkten wurde das neunte Team, ein Herbert und eine Gisela.

Norbert Hagedorn erreichte nur den dritten Platz. Er ging herum und erzählte jedem, daß er spielend den ersten gemacht, wenn er nicht diese blöde Gans, die Dagy, am Bein gehabt hätte. Nicht einen Pluspunkt habe sie zugesteuert. Alles mußte er allein tun – basteln, dichten, raten, Lied singen, auf kurzen Styroporskiern über den See gehen und hineinplumpsen, Äste sägen, eine kaputte Uhr organisieren, die aber noch Kuckuck machte, alles er allein – nur das Gemälde ging auf ihre Kosten und das war ja auch danach –!

Dazu Dagy über ihren Partner Norbert: »Nix war ihm gut genug, was ich gemacht hab'. Immer hat er was zu meckern gehabt, da hab' ich halt nix mehr gemacht. Mei, des sag ich euch – noch einen Tag mit so einem, und ich geh zu die Emanzen über!«

Kurz nach der Preisverteilung tauchte plötzlich Maxl Moser am Feuer auf. Sein Bruder hatte ihn hergefahren, nachdem sie beide das Wrack von seiner Umarmung mit dem Buchenstamm gelöst und in ihre Reparaturwerkstatt abgeschleppt hatten.

Maxl gierte nach Trost und einem Publikum, das seine Unfallgeschichte noch nicht im Detail kannte. Und dabei ließ er sich vollaufen. Und seine verflossene Freundin Dagy hatte Gelegenheit, ihm den Kopf zu halten.

Rieke lag in der Taukühle der Wiese und schaute in den Sternenhimmel. Über ihr flimmerte die Milchstraße, fiel wie Schnee in ihre Augen.

Ein leichter Wind war aufgekommen und bewegte das Laub.

Irgendwo schlug eine Glocke an, als sich eine Kuh im Schlaf bewegte.

Rieke dachte an die Taschnerbrüder und wie alles so unerwartet heiter gelaufen und so abrupt, fast ohne Abschied, geendet hatte. Eigentlich schade.

Neben ihr knutschte Team elf.

Sixten und Paul Herwart hatten sich endlich wieder gefunden und redeten und redeten miteinander am langsam verlöschenden Feuer. Konnte denn

nicht jemand Maxls betrunkenes Geschwafel auf
Zimmerlautstärke drehen?
Es müßte so schön sein, den Wald zu hören, nur
den nahen Wald.
Es müßte auch schön sein, sich einmal wieder zu
verlieben . . .
Als ob er ihre Gedanken erraten hätte, beugte sich
ein Bieratem über Rieke. Sie stemmte den dazuge-
hörigen Menschen mit aller Kraft von sich, ohne
daß es sie interessierte, um wen es sich bei diesem
handelte.
Sie wußte nur – genau den wollte sie nicht.

Im Morgengrauen kehrten einige Pärchen barfuß
und leicht zerzaust aus den Wiesen zurück.
Das große Zusammenpacken und Verabschieden
begann.
Autotüren klappten, Abschiedsrufe, darüber ein
Vogelkonzert.
Kaum zu ertragen, dieses ausgeschlafene Jubilie-
ren . . .
Ein Motor brummte auf und verklang den Berg
hinunter.
Die Veranstalter gingen noch einmal das Gelände

ab, um zu prüfen, ob auch nichts vergessen worden war.

Nur die verkohlten Holzreste in der bläulich-weißen Asche des Lagerfeuers blieben zurück.

»Alsdann – fahren wir.«

Friederike ruckte an der Leine, an deren unterem Ende Plumpsack schlief. Man hätte ihm jetzt ein Reh oder den Dessauer Fuchs vor die Nase binden können, er wäre nicht aufgewacht, hätte höchstens hohe Beller ausgepustet und gleichzeitig mit emsigen Läufen versucht, den Morgenwind einzuholen.

Rieke fuhr mit Paul Herwart, dem Picknickzubehör und dem fast geleerten Bierfaß.

»Warum lachst du?« fragte er sie einmal.

»Ich mußte gerade an Pepe denken. Als der Unfall passiert war und der Notarztwagen schon fort und nur noch die Funkstreife im Wald, da hat er mich beiseite genommen und gefragt: ›Wieviel müssen wir denen geben?‹ Ich begriff überhaupt nicht, wen er meinte. ›Na, der Polizei‹, sagte er, ›wieviel gibt man hier der Polizei . . .‹«

»Etwa Trinkgeld?« staunte Paul.

»Ja.«

»Na und?«

»Nichts. Sein Bruder hat ihn im letzten Augenblick daran gehindert.«

»Bob Taschner ist ein Spielverderber«, sagte Paul.

»Jetzt erfahren wir nie, wie unsere Polizei reagiert,
wenn man ihr ein Trinkgeld anbietet.«
Und das war dann das Ende der Juxrallye.

Sixten ließ sich nur zu gern von Paul Herwart
überreden, noch ein paar Tage in München zu
bleiben. »Was willst du in Berlin? Da versäumst eh
nix und wo du schon einmal hier bist . . . vielleicht
finden wir sogar einen Job für dich.«
Auf Riekes Frage, ob wenigstens Plumpsack mit
heimreisen dürfe, begegnete sie auch nicht dem lei-
sesten Widerstand. Man würde sich noch lange
und gern an sein Münchner Gastspiel erinnern,
aber an einer Verlängerung desselben schien niemand interessiert. Und so kehrten sie denn am
Sonntagabend allein nach Berlin zurück.

Die Haustür stand offen, als sie ankamen, ebenso
die Tür zum ehemaligen Garderobenraum mit
Blick auf ein ungemachtes Bett und mehrere über-

einander gestapelte Pappkartons. Quer durch das längliche Kabinett war eine Wäscheleine gespannt, auf der eine Hose mit mißgelauntem Hintern durchhing.

In diesem Raum schlief der Vater von Üskül Ahmed, dem Türken. Vor zwei Jahren war Üskül hier alleine eingezogen. Später holte er seine Frau mit drei Kindern nach, das vierte wurde bereits in Berlin geboren. Dann folgte sein Bruder, die Familie seines Bruders samt Schwiegereltern und zuletzt Üsküls Vater.

Der Hausflur war – wie an den meisten Wochenenden – der Kriegsschauplatz, auf dem Üskül und sein Erzfeind Kosewinkel ihren Haß aufeinander abschossen.

Bei Adolf Kosewinkel handelte es sich um den ehemaligen Portier des Hauses, als es noch Anspruch auf einen solchen hatte. Inzwischen lebte er als Mieter in seiner alten Loge mit Stube und Wohnküche dahinter und fühlte sich weiterhin zum Wach- und Hausmeister berufen.

Das Streitobjekt war einmal wieder Kosewinkels Fahrrad, das er in dem die Eingangshalle begrenzenden Flur abzustellen pflegte. In der Hausordnung von 1954 aber war das Abstellen von Fahrrädern im Hausflur verboten und weiß der Henker, wer Üskül darauf aufmerksam gemacht hatte. Zumindest bestand er mit dem glutäugigen Fanatis-

mus, mit dem er sein kleines Recht zu verteidigen
pflegte, auf der Entfernung des Rades, seit Adolf
Kosewinkel sich gegen das Abstellen des Üskül-
schen Hammelgrills im Hausflur aufgebäumt
hatte. Dabei war in der Hausordnung von 1954 das
Abstellen von Hammelgrills im Hausflur nicht
ausdrücklich untersagt.

Kosewinkel bellte: »Los, vadrück dir, oller Piese-
pampel, türkischa! Ick habe mein Rad hier schon
abjestellt, wie du noch in Anatolien hintern Zaun
jeschissen hast. Und da bleibt et stehn, solange
dieses Haus steht und ick hier lebe, vastehste?«

Rieke huschte, den pöbelfreudigen Plumpsack
kurz an der Leine, um den deutsch-türkischen
Kleinkrieg herum, zur Treppe.

Nach einem vorwiegend unbeschwerten, verrei-
sten Wochenende war sie besonders allergisch gegen diese schrillen Töne. Sie verfolgten sie bis in
ihre Wohnung.

Sie war wieder zu Hause. So war das also, wieder
zu Haus zu sein.

Und was Kanaken waren, wußte sie noch immer
nicht.

Drei Wecker zertrümmerten jeden Morgen gehässig rasselnd im Abstand von je drei Minuten Friederikes Tiefschlaf und leiteten ihr Lever ein: ein mühsames, mit Stöhnen beladenes Sich-aus-dem-Bett-Rollen.

Seit sie aus München zurück war, stand noch ein vierter Wecker neben ihrem Bett – maigrün, einbeinig, einzeigrig, nur mehr mit Hilfe einer Zange aufzuziehen, aber noch mit Schlag und fast geliebt, weil einzige greifbare Erinnerung an ihre Juxrallye mit den Gebrüdern Taschner.

Rieke tappte in die Küche, wo Plumpsack bereits auf seine Morgenstulle wartete, setzte Wasser für Tee auf, stieg anschließend in die emaillierte, auf Krallenfüßen thronende Badewanne und versetzte den Resten ihrer Schlafsehnsucht einen heilsamen Schock mittels einer ungleichmäßig tröpfelnden, eiskalten Dusche.

Inzwischen war das Teewasser verkocht. Friederike trank kalte Milch gleich aus der Tüte. Danach lief sie mit Plumpsack ums Karree und trieb ihn mit ungeduldigen Kommandos zu überstürztem Stuhlgang an.

Mittags ging Frau von Arnim, die Oberstwitwe aus der Beletage, mit ihm Gassi, denn Rieke kam erst gegen Abend heim.

Die Werkstatt des Restaurators Karl-Heinz Papke, bei dem sie arbeitete, befand sich im Gar-

tenhaus eines alten Charlottenburger Mietshauses,
an dem weder Bomben noch spätere Radikalreno-
vierer architektonischen Schaden angerichtet hatten. Im Winter wurden die Räume durch Öfen ge-
heizt, im Sommer standen die Fenster weit offen,
um Wärme vom Hof hereinzulassen, einem typi-
schen Berliner Hinterhof mit Teppichstange,
Mülltonnen, Fliederbaum und abgestoßenen
Emailleschildern voller Hinweise und Verbote.
Vor der Werkstattür standen in Kübeln Oleander-
bäume, die nie zum Blühen kamen, weil die Sonne
zu kurz auf das Hofquadrat zwischen vierstöcki-
gen Mauern schien.

Wie jeden Morgen, wenn Rieke die Werkstatt betrat, thronte Papke ringerstark und untersetzt in
der Mitte seines Wachstuchsofas und las die Mor-
genzeitung. Um ihn herum schnurrten seine Katzen.
»Na, Kleene?« begrüßte er sie.
Rieke mußte sich zu ihm setzen, bekam einen
»Topp Kaffe« und packte eine der beiden Schrip-
pen mit Fleischsalat aus, die sie jeden Morgen beim
kleinen Schlachter nebenan erstand.

Papke gab ihr den Teil seiner Zeitung, den er schon gelesen hatte. Die Katzen strichen um Riekes nackte Beine. Man hörte nur das Rascheln beim Umdrehen der Blätter, Spatzenschilpen von draußen, ab und zu Papkes Kaffeeschlürfen mit anschließendem behaglichen Ächzen.

Seine Lebensgefährtin Rotraud, in ihrer Blutjugend ein Nummerngirl der Berliner Scala, durfte ihnen während der Morgenstunden nicht zu nahe kommen. Sie »quakte« Papke zuviel. Zum mühsamen Anlaufen brauchte er absolute Ruhe, wenigstens so lange, bis er die Zeitung zu Ende gelesen hatte. Dann stemmte er seine Pranken auf die kurzen, massiven Schenkel und holte sich also den Schwung zum Aufstehen.

»Na, denn woll wa mal!«

So begann jeder Tag in der Werkstatt. Zur Zeit arbeiteten sie an einer Louis-Seize-Chiffonniere, die trockene Zentralheizungsluft entblättert hatte. Sie mußte neu furniert werden mit Rosenholz, Palisander und Kirsche.

Papke redete noch immer keinen Ton, ein untrügliches Zeichen dafür, daß er am vergangenen Wochenende beim Rennen auf die falschen Rösser gesetzt hatte. Er konnte das Zocken nicht lassen, und darum gab es ständigen Ärger mit Rotraud.

Gegen elf Uhr läutete das Telefon. Papke horchte hinein und gab den Hörer an Friederike weiter.

»Wer?«

»Dein Knilch.«

»Sixten!« rief sie erschrocken. »Ist was passiert?«

»Wieso? Warum soll was passiert sein?«

»Weil du vormittags anrufst, wo es so teuer ist.«

»Abends kann ich nicht, da sind wir nie zu Haus.«

Seine Stimme klang zufrieden wie lange nicht mehr. »Dieses München schlaucht einen vielleicht. Immerzu ist was los. Aber ich wollte mich doch mal melden.«

»Das ist rührend von dir. Wie geht es Vera? Habt ihr was von ihr gehört?«

»Wir haben sie zweimal besucht. Es geht ihr prima. Bloß der arme Max hat großen Ärger.«

»Warum?«

»Das erzähl ich dir, wenn ich zurückkomme.«

»Wann kommst du denn, Sixten?«

»Weiß noch nicht. Vielleicht nächstes Wochenende. Ich sag dir Bescheid.«

»Alsdann . . .«

»Warte. Lonka will dich noch sprechen.«

Sixten gab den Hörer ab.

»Servus, Rieke, grüß dich. Schad, daß d' net hier sein kannst. Am Wochenend waren wir mit Freunden im Salzburgischen . . . Paul läßt dich auch grüßen, er kommt gerad bei der Tür herein.«

»Habt ihr mal was von den Taschners gehört?« fragte Rieke.

»Taschners –?« (Lonka brauchte Zeit, um sich zu erinnern.) »Ach so, du meinst deine Rallyepartner. Da müßt ich schon die Vera fragen.«

»Laß man, es ist nicht so wichtig«, sagte Friederike.

Und dann meldete sich noch einmal Sixten und versprach, am nächsten Freitagabend bestimmt zurückzukommen. Er hatte sich das inzwischen überlegt.

»Na?« fragte Papke, als sie an ihre Arbeit zurückkehrte.

»Alles okay«, sagte Rieke. »Sixten kommt Freitag.«

Am nächsten Freitag kam Sixten nicht zurück, rief auch nicht an. Er schickte nur eine Ansichtskarte aus Andechs, auf der mehrere Leute unterschrie-

ben hatten, deren Namen Rieke nur zum Teil entziffern konnte. Paul und Lonka und Bussi und
Gundi waren dabei.

Es schien Sixten anhaltend gut zu gehen, endlich
einmal nach den langen, tristen Monaten der Be-
schäftigungslosigkeit und des Selbstmitleids.

Friederike gönnte ihm das Vergnügen um so mehr,
als sie selbst ihre eigene Freiheit zu genießen begann.

Da war jetzt niemand mehr um sie herum, auf den
sie Rücksicht nehmen mußte. Niemand, der sie mit
seinen Launen und Stimmungen belastete. Sie
brauchte sich nicht länger für Sixtens Schicksal
mitverantwortlich zu fühlen.

Sie war wie von einem Druck befreit.

Frei und noch mal frei und wieder neugierig auf
ihre eigene Zukunft, die sie nicht mit Sixten teilen
mußte.

Solange sie täglich mit ihm zusammen gewesen
war, hatte sie es sich nicht vorstellen können, wie
es sein würde ohne ihn.

Und jetzt vermißte sie ihn nicht einmal, im Gegenteil.

Es war phantastisch, ohne Pflichten und ohne Stö-
rung am Samstagvormittag auf dem Balkon zu liegen, zwischen zwei Korbstühlen, nur mit einem
Slip und einem alten Jeanshemd bekleidet und ihre
von der Arbeit ramponierten Nägel zu feilen.

Sie brauchte nicht fürs Wochenende einzukaufen, weil kein Mann da war, den seine Mutter von klein auf an warme, ausführliche Mittagsmahlzeiten gewöhnt hatte. Sie brauchte nicht zu kochen, sondern nur an den Eisschrank zu gehen, wenn sie Hunger verspürte. Ein Ei in die Pfanne hauen, ein bißchen Salat anrichten und gleich stehend am Küchentisch alles von einem Teller in sich hineingabeln – bloß keinen unnötigen Abwasch.

Für den späten Nachmittag war sie mit einer Freundin verabredet, die sie seit Monaten nicht gesehen hatte. Anschließend gab ihr Bruder ein Fest. Rieke hatte bis Sonntag abend ein volles Programm, wenn sie wollte – aber sie mußte ja nicht, wenn sie nicht wollte . . .

Sie war geradezu verliebt in ihre Entscheidungsfreiheit.

Es wäre alles wunderschön gewesen, wenn nicht wieder dieser verflixte Wochenendkrieg im Hausflur getobt hätte. Er ließ sich nicht einmal durch ein lautgestelltes Radio übertönen.

Diesmal hatte Adi Kosewinkel zur Attacke geblasen. Ihn ärgerten die Gemüsebeete, die Üskül und seine Sippe dort anlegten, wo früher einmal ein Steingarten gewesen war. Im Frühjahr hatte er bereits die meisten Setzlinge zerstört, indem er mit seinem Fahrrad etliche Male über sie hinweggeradelt war.

Darauf pflanzte Üskül ein zweites Mal. Diesmal umgab er seine Beete mit einem Drahtverhau, als ob er Panzereinbrüche erwartete.

Besagter Drahtverhau ließ Adi nicht mehr schlafen. Sein Hirn, vom Haß vergallt, brütete eine neue Perfidie aus: Er besorgte sich Raupen und Würmer und warf sie durch den Drahtverhau aufs türkische Gemüse.

Das war im Laufe der vergangenen Woche geschehen.

Rieke auf ihrem Balkon hatte gerade die Nägel einer Hand gefeilt, als es an ihrer Wohnungstür Sturm läutete.

Sie öffnete nur ungern, denn sie ahnte, daß nichts Beglückendes davor stand.

Elsbeth Kosewinkel, birnenförmig, bis zur Hälfte babyrosa eingehäkelt, stürzte herein.

»Schnell! Ham Se Pflaster?«

»Moment, ich schau mal«, Rieke ging vor ihr her an das Arzneischränkchen im Badezimmer, aber es enthielt nur noch die Dinge, die man alle fünf Jahre

einmal brauchte. Aktuelles, wie Pflaster, war ver-
griffen.

»Ich hab' noch was im Auto. Wofür soll's denn
sein?«

»Für mein' Adi. Fatima hat ihm jebissen. Hier –«
Elsbeth Kosewinkel zeigte an ihrer Hand, wo.
Fatima war Üsküls Frau.

»Wenn die man nich die Tollwut hat«, sagte Elsbeth und machte keinen Witz.

»Aber warum?«

»Dies war so. Wie ick draußen im Jarten so vor mir
hinsitze und nischt Böset ahne, kommt doch der
Üskül und schmeißt mir mit Raupen und so 'n
Jeziefer. Darauf schrei ick nach mein'n Mann. Der
war jerade bei unser verstopptes Klo bei, und wie
er mir hört, kommta rausjerannt, noch mit den
Draht davor und drischt den Üskül übern Deetz.
Det sieht Fatima und beißt ßu ... so war
det.«

Rieke betrachtete träumerisch Frau Kosewinkels
schmuddelige rosa Häkelei und erinnerte sich an
eine noch immer nicht gelöste Frage: »Wissen Sie
zufällig, was Kanaken sind?«

»Kanaken?« Diese Frage brachte Adis Frau völlig
aus ihrem Zorn. »Kanaken! Wieso denn?« Da sie
aber nicht der Typ war, der freiwillig Bildungslük-
ken zugab, fing sie an zu raten.

»Also det sind – wie soll ick saren – also – wenn

det man nich die männliche Form von Kanallje is. Oda wat mein' Sie, Fräulein Birkow?«

»Kanake war ursprünglich der Name für Hawaiianer, heute ist er die geringschätzige Bezeichnung für alle Südseebewohner«, sagte ein Mann, der den Flur entlangkam.

Rieke und Frau Kosewinkel sahen sich nach ihm um.

Rieke glaubte es nicht, aber es war trotzdem Bob Taschner, und hinter ihm tauchte Pepe auf mit erwartungsvollem Gesicht: Na? Freut sie sich über unsere Überraschung?

Sie fiel beiden gleichzeitig um den Hals: »Ihr in Berlin? Ich werd' verrückt!« Und zu Frau Kosewinkel, die interessiert zuguckte: »Tut mir leid, ich kann jetzt nicht. Ich hab' Besuch gekriegt. – Kommt rein.« Während sie die Wohnungstür hinter den beiden schloß, sagte sie erklärend: »Sie wollte ein Pflaster, weil ihr Mann von einer Türkin gebissen worden ist.«

Zufällig begegnete Rieke ihrem Spiegelbild und verstummte jäh. Das war sie? – Ein erschrockenes Gesicht unter einem Schopf ungewaschener Haare, der ihr bis über die Augenbrauen hing, ein halboffenes Jeanshemd und darunter kein BH. Und die langen, nackten Beine mit den Füßen nach innen gekehrt.

Von nun an begegnete sie den beiden mit der abwehrenden Befangenheit eines Mädchens, das am vergangenen Abend zu faul gewesen war, sich die Haare zu waschen.

Außerdem hatte sie nicht aufgeräumt.

»Schaut euch bloß nicht um! Bei mir sieht's vielleicht aus!«

Dabei fegte sie ein Frottiertuch vom Stuhl und stieß gleichzeitig mit dem Hacken die Küchentür zu. Bei ihren kleinen Schlampereien erwischt worden zu sein, fraß abrupt die Wiedersehensfreude.

»Wie kommt ihr denn hierher?«

»Pepe wollte unbedingt Berlin kennenlernen. Am Wochenend gibt es verbilligte Flüge. Eine Pension haben wir auch schon und einen Leihwagen«, erzählte Bob.

»Steht unten«, sagte Pepe.

Wohin mit den beiden? Am besten auf den Balkon.

»Setzt euch, ich komme gleich.«

Plumpsack, der im Gegensatz zu Friederike souverän über sein leicht verfilztes Äußeres hinwegsah, machte die Honneurs. Das heißt, er perpendikelte mit dem Puschelschweif Willkommensfreude, schnüffelte an Pepes Hosenschlitz, was diesem peinlich war, und nahm anschließend in einem knirschenden Korbsessel Platz. Da es nur noch einen zweiten für Bob gab, mußte Pepe stehen. Stand und äugte über die Balkonkästen in den

Garten mit seinen abgeblühten Sträuchern und Grasfetzen zwischen steingrauem Sand, aus dem ein Türkenkind mit Hilfe von abgestandenem Regenwasser Eierpampe fabrizierte.

»Findest du, daß sich Rieke freut, uns wiederzusehen?« überlegte er.

»Einerseits ja, aber andererseits . . .«

»Praktisch kennen wir sie ja kaum«, gab er zu bedenken.

»Das hättest du dir früher überlegen können«, sagte Bob. »Schließlich war es deine Idee.«

»Ja, aber wer sonst könnte uns die Stadt zeigen?«

»Zum Beispiel Onkel Eberhard. Die Mühlbergs und die Hesslers . . . Vater hat genügend Freunde hier.«

»Vaters Freunde zeigen einem immer das, was man gar nicht sehen will, und außerdem reichen sie einen in ihrem eigenen Kreis herum. Ich kenn das aus New York«, klagte Pepe.

Rieke kam zurück. Wirkte blanker als vorher, auch gefaßter. Hatte sich inzwischen gekämmt, umgezogen und duftete auch schön. »Wo habt ihr eigentlich meine Adresse her? Von Sixten? Er ist ja noch in München. Wollt ihr was trinken? Ich fürchte, ich hab' bloß Selters . . . Moment . . .«

Weg war sie zum zweiten Mal. Es war nur mehr eine halbgeleerte Flasche im Eisschrank. Das reichte wohl kaum. Danach zog sie hoffnungsfroh die Schublade mit den Keksen auf und schob sie enttäuscht wieder zu. Nichts als Krümel.

Sie sah zum Balkon. Pepe, Bob und Plumpsack schauten erwartungsvoll zurück.

Rieke hatte einen lichten Gedanken: Ich benehme mich so hausbacken blöd wie meine Mutter bei überraschendem Besuch. Vor lauter hausfraulicher Emsigkeit ließ sie ihre Gäste allein. Wenn sie endlich unter vielen Entschuldigungen den Kaffeetisch gedeckt, Kuchen vom Konditor geholt und erschöpft Platz genommen hatte, schauten die unverhofften Gäste zum ersten Mal verstohlen auf die Uhr. Sie waren ja nicht gekommen, um Mutters Geschäftigkeit beizuwohnen, sondern um sie einmal wiederzusehen und zu fragen, wie es denn allen so ginge und eigentlich mußten sie schon wieder weiter . . .

Verflixte ererbte Konventionen. In ihnen versiegte jede spontane Freude in Erstickungsanfällen.

»Ich stell mich vielleicht an – dabei ist es einfach irre, daß ihr da seid.«

»Siehst du«, sagte Pepe zufrieden zu seinem Bruder.

»Sie freut sich irre.«

Und keinem fiel auf, daß sie von der Begrüßung an das »Sie« abgelegt hatten.

»Wie geht es Vera?« fragte Rieke.

»Gut. Bis auf die Narbe auf ihrer Stirn. Aber wozu gibt es schließlich Schönheitschirurgen. Es ist alles reparabel, zumindest, was ihr Aussehen anbelangt.«

Bob war herumgegangen und hatte die Möbel betrachtet. Jetzt blieb er vor Rieke stehen. »Sag mal –«

»Hm?«

»Hast du was Wichtiges an diesem Wochenende vor?«

»An sich schon, aber – warum fragst du?«

»Dürfen wir dich einladen, uns Berlin zu zeigen?«

»Ja, gern . . .« (Du liebe Güte, sie sollte den Bärenführer spielen. Was zeigte sie ihnen denn da? Was wollten sie sehen?) »Die Mauer, natürlich. Das Berlinmuseum. Die Nationalgalerie . . .«

Bedrückter Blick aus Pepes Richtung: »Wir haben nur anderthalb Tage Zeit. Wenn's geht, Museen nur bei Regen, ja?«

Was noch?

Den Ostsektor, Reichstag. Tiergarten, Kreuzberg. Das Berliner Dorf Lübars und die »Nolle« – den Flohmarkt auf dem stillgelegten U-Bahnhof.

Eine typische Berliner Kneipe.

Und die Philharmonie von außen, von innen hatte sie ausverkauft.

Eine Dampferfahrt auf den Havelseen.

»Nachtleben auch?«

Die Brüder dankten, das mußte nicht sein.

Aber die Pfaueninsel.

Je mehr Rieke über Stadt und Umgebung nachdachte, um so mehr fiel ihr zum Vorzeigen ein.

Was unentschlossen begonnen hatte, uferte im Laufe des Wochenendes zu nimmermüdem Lokalpatriotismus aus.

Berlin-West war circa 480 Quadratkilometer groß. Das war sehr viel für eine halbe Stadt. In Pepe entwickelte sich langsam die Furcht, Rieke könnte ihnen jeden Quadratmeter einzeln vorführen. Grund zu dieser Befürchtung war zweifellos vorhanden.

Hatten sie am Samstagnachmittag noch Dankbarkeit für ihre Rundreiseleiterin empfunden, so fühlten sich die Brüder am späten Abend desselben Tages als ihre Opfer. Es war bestimmt fabelhaft, was sie in so kurzer Zeit zu sehen, zu hören und an Berliner Spezialitäten zu essen bekamen, aber – soviel hatten sie ja gar nicht gewollt.

»Daß hier immer alles zum Streß ausarten muß, selbst das Amüsement«, stöhnte Pepe nach einer

»Sause« durch etliche originelle Berliner Kneipen.

Ihm taten die Füße weh vom Pflastertreten und vor allem der mit Ungewöhnlichkeiten überfütterte Magen.

»Laß nur«, tröstete ihn Rieke beim Abschied um Mitternacht. »Morgen früh machen wir einen langen Spaziergang um den Grunewaldsee, dann geht's dir wieder besser.«

Nun war Spazierengehen nicht gerade das, womit man Pepe trösten konnte, im Gegenteil . . . er überließ das Laufen nur zu gern den Tieren.

Wahrscheinlich gab es keinen See in Deutschland, um den am Sonntagvormittag so viele Samstagabendkater ausgelüftet wurden, wie um diese idyllische, längliche Pfütze zwischen Kiefern- und Laubwald.

Hunderte von Hunden aller Rassen wuselten um seine Ufer herum, beschnupperten und jagten sich, Plumpsack immer mittendrin. Er hatte viel zu tun.

Was Pepe am meisten wunderte – alle Hunde waren wohlgenährt, verfügten über einen Namen, sie hatten sogar eine eigene Badestelle an diesem See. Und sie wurden von ihren Besitzern bierernst genommen.

Da war zum Beispiel eine Frau, die ihrem Schnauzer, der nicht von einer mißgestimmten Hündin lassen wollte, zurief: »Mensch, Justav, sei keen Esel! Laß die Zicke loofen!«

Sie begegneten berittener Polizei und Trainingsanzügen, prall wie Blutwurstpellen auf schwitzenden Körpern sitzend, die mit angewinkelten Armen und dunkelroten Köpfen, mit bis zum äußersten – dem Trimm-dich-Infarkt – entschlossenen Mienen durch den märkischen Sand stäubten . . .

Sie kamen auch zum Bullenwinkel. Das war ein Nacktbadestrand, mitten und ziemlich unverhofft im Seerundgang, angelegt wie ein Affengehege im Zoo, angefüllt mit sandpanierten, schlaffen Altmännerpopos, Gammlern, Exhibitionisten und vereinzelten FKK-Anhängern.

Dazwischen jagten sich Hunde, Staubwolken aufwirbelnd, schoben Omas ihre Enkel im Sportwagen und Radausflügler ihre Fahrräder durch den tiefen, grauen Sand.

Bob platzte vor Lachen, vor allem über die abgrundtiefe moralische Empörung seines kleinen Bruders.

»Das ist armselig und lächerlich«, ereiferte sich

Pepe, »das wäre bei uns im Chapultepecpark ein Skandal!« Und zu Rieke: »Schockiert dich das nicht?«

»Ach, weißt du, man gewöhnt sich dran.«

»Aber du setzt dich hier nicht zur Schau!?«

»Nein, nein«, versicherte sie ihm und pfiff vergebens nach Plumpsack. Er hockte voller Andacht vor einem Nackichten, der seine breiten Schenkel als Picknicktablett benützte. Mit dem Taschenmesser schnitt er dicke Scheiben von einer Hartwurst und schob sie sich quer in den Mund. Plumpsack sah dabei zu und gönnte ihm keinen Bissen.

Bob mußte ihn gewaltsam holen.

Am frühen Nachmittag saßen sie in einem kleinen Restaurantgarten an der Havel. Boote plätscherten an ihnen vorüber, beladen mit Liebespaaren, Familien und Melodien aus dem Kofferradio.

Pepes Stimmung schwamm mit jeder Schnulze den Fluß hinunter. Es ging ihm nicht gut. Nicht nur wegen des Aals grün mit Gurkensalat, zu dem Rieke seinen von den gestrigen Berliner Spezialitäten noch angegriffenen Magen verdonnert hatte, sondern weil ihm das oberbayerische Internat eingefallen war. Nach den Sommerferien hatte er dort auf Vaters Geheiß anzutreten.

Allein bei dem Gedanken daran war er von Heimweh zerfressen.

»Was soll ich hier? Was interessieren mich europäische Belange? Ich mag hier nicht leben.«

»Es ist ihm bei uns zu kleinkariert«, erläuterte Bob.

»Vor lauter Verboten und Verordnungen habt ihr Scheuklappen um«, ereiferte sich Pepe. »Erinnerst du dich an die große Kreuzung gestern, an der die Ampeln ausgefallen waren? Auf einmal standen die Autofahrer hilflos da und wußten nicht mehr weiter, weil einmal ihre Ordnung zusammengebrochen war. Ein Beispiel nur – aber es ist typisch für alles hier. Ihr versteht nicht mehr zu improvisieren – oder selbständig eine Verantwortung auf euch zu nehmen. Ihr –«

»Pepe!« mahnte Bob.

»Laß ihn ruhig reden«, sagte Rieke.

»Und ihr versteht nicht, großzügig zu leben.« Danach wurde er bleich, legte die Hand über die Gürtelschnalle. »Entschuldigt mich bitte –« und hastete auf das Lokal zu. Ein Kellner wies ihm die Richtung.

»Erst schimpft er auf das Gastland, und dann straft er auch noch den hiesigen köstlichen Aal, indem er ihn nicht verträgt«, grinste Bob. »Zeugt das vielleicht von Lebensart?«

»Er ist fünfzehn«, nahm Rieke ihn in Schutz. »Und er ist so voll Haß auf alles hier, weil er nicht her will. Mir ginge es umgekehrt genauso.«

»Außerdem scheint er ein Mädchen drüben zu haben, das den Eltern nicht paßt. Deswegen haben sie ihn wohl auch vorzeitig in die Ferien geschickt.« Sie tranken von ihrer Weißen mit Schuß, die inzwischen warm geworden war, und sahen einem Kanu zu, das unter der langhaarigen Perücke einer Trauerweide vor Anker ging.

»Und du fängst im Herbst in Mexiko an zu arbeiten«, sagte Rieke.

»Am ersten Oktober.«

»Und vorher machst du drüben Urlaub.«

»Ja.«

»Mit Vera?«

Bob zögerte einen Augenblick, ehe er antwortete.

»Ja«, sagte er dann. »Wir haben es vor. Sie kennt Mexiko noch nicht.«

»Sprecht ihr von Vera?« fragte Pepe, auf seinen Gartenstuhl zurückkehrend. »Ich kann sie nicht leiden. Ich mag keine Mädchen, die immer Mittelpunkt sein müssen. Immer redet sie und nur sie, dabei hat sie gar nichts zu sagen.«

»José Maria!« Bob wurde ärgerlich.

»Wenn du sie heiratest, besuche ich euch nie!« beendete Pepe das Thema Vera und sah auf seine, für einen Fünfzehnjährigen viel zu kostbare Armbanduhr. »Ich weiß nicht, wie lange wir in die Stadt zurück brauchen. Wir müssen noch unsere Taschen aus der Pension holen.«

»Ja«, sagte Bob, »es wird Zeit.« Und legte kurz seine Hand um Riekes Hand. »Danke. Danke für alles.«

Sie wollten sie und Plumpsack zu Hause absetzen, aber Rieke sagte, sie hätte noch genug Zeit, um sie zum Flughafen zu begleiten.

Dabei machten sie einen Umweg über das alte Charlottenburg. Hier war es sommersonntags so still, daß man es weithin drippeln hörte, wenn auf einem Balkon die Begonien und Schnittlauchtöpfe begossen wurden.

In den Straßenlinden schilpten Spatzen.

Papke war leider nicht zu Hause.

»Entweder ist er beim Rennen oder Angeln. Schade. Ich hätte euch gern die Werkstatt gezeigt.«

Auf dem Weg zum Flughafen versuchte Rieke, sie ihnen wenigstens zu schildern. Den Duft von Leim und Lack und den nach Weihrauch und Lavendel, der alten Kommodenfächern entstieg. Papkes beredtes Schweigen, seine Katzen, in knochenloser Grazie über den Möbeln hängend. Der Blick durchs offene Fenster auf den Hinterhof mit seiner kargen Sonnenration. Die Geräusche, die aus den Fenstern von vier Stockwerken in den Hof herunterfielen. Die Freude an jahrhundertealter Handwerklichkeit.

»Und dann müßt ihr euch Papke vorstellen. Eine untersetzte Ringerfigur, breit, alles Muskeln. Rotweinnase. In seiner Jugend war er aktiver Sozi. Er hat für seine Überzeugung sogar im KZ gesessen. Heute ist er von jeder Politik zu enttäuscht, um sich noch leidenschaftlich engagieren zu können. Er verbraucht wohl auch zu viele Kräfte im Zusammenleben mit Rotraud. Das ist seine Dauerbraut. Sie putzt ihm seit 25 Jahren die Werkstatt und das Privatleben, sie will nun endlich geheiratet werden, versteht ihr? Papke mag aber nicht. Er hat

Sorge, Rotraud könnte es als seine Frau an der bisherigen Umsicht fehlen lassen und die Gnädige spielen. Das bedeutete, daß er eine Hilfe für die niederen Hausarbeiten einstellen müßte, und die ist in seinem Etat nicht drin. Nicht daß er schlecht verdienen würde – aber die Pferdchen! Er kann das Zocken nicht lassen! Und das ärgert Rotraud. Sie macht ihm pausenlos Vorwürfe. Darum fährt Papke schon Samstag nachts zum Angeln. Fische halten wenigstens die Klappe, sagt er.«

Durch diese ausführliche Schilderung erfuhren Bob und Pepe auch einiges über Riekes Alltag. Sie taute immer mehr auf, man konnte auch sagen – sie wurde langsam zutraulich – wie ein Kind oder ein Hund.

Sie hatten nicht mit dem Rückstau auf der Stadtautobahn gerechnet, hervorgerufen durch heimkehrende Sonntagsausflügler. So blieb ihnen keine Zeit für einen ausführlichen Abschied.

Rasche Umarmung, gegenseitige Wünsche, großes Dankeschön, die Hoffnung, sich irgendwann einmal wiederzusehen – »Plumpsack! Mach's gut.«

»Schade, daß du so weit weg wohnst«, sagte Pepe

noch, ehe sie mit hallenden Sohlen auf ihren Schalter zurannten.

Einmal wandten sie sich noch um und winkten mit allem, was sie in den Händen hielten.

Dann waren sie fort.

Gleich nach dem Start belebte ein fahles Grün Pepes Gesichtszüge.

»Ist was?«

»Ja.« Er wartete gerade noch das Erlöschen von »Fasten seat belts« ab, schnallte sich frei und hastete der Toilette zu. Blieb längere Zeit fort. Kam endlich verquollen und erschöpft zurück.

»Hast du Beschwerden?« erkundigte sich Bob.

Pepe winkte elend ab. Er hätte seinem Bruder gerne die Gründe für sein Unwohlsein aufgezählt, aber er schaffte es nur in Gedanken, nicht mit Ton.

Eisbein mit Sauerkraut und Erbspüree.

Kalte Bouletten und Soleier.

Übelriechender, über einem Griebenschmalzbrot zerlaufender Käse – eine Delikatesse! hatte Rieke versichert. (Im Vergleich zu dem, was Tibetanern schmeckte, mochte das stimmen, aber sonst . . .!)

Aal grün mit Gurkensalat und dazu Weiße mit Schuß, ein Gesöff, das sich aus Weißbier und giftgrünem Waldmeistersirup zusammensetzte und in Gläsern serviert wurde, die größer waren als die Waschschüsseln des Rokoko.

Und das Schlimmste gestern nacht in einer Kneipe: Persico. Es trank sich wie Himbeersaft, nur die Wirkung war nicht die gleiche.

Allein der Gedanke an »Echt Rixdorfer Sauern mit Persico« trieb Pepe auf den panamerikanischen Flugzeugtopf zurück.

Bob lachte ihm herzlich ohne einen Funken Mitgefühl hinterher. Häufig kehrten europäische Reisende mit derangierten Innereien aus lateinamerikanischen Ländern zurück. Warum sollte es nicht einmal umgekehrt sein?

Er stellte seinen Sitz zurück, blätterte eine Zeitung auf, um zu lesen – und blickte aus dem Fenster in die Abendsonne.

Rieke und ihr komischer Hund Plumpsack fuhren jetzt mit dem Omnibus nach Hause.

Sie hatte an diesem kurzen Wochenende alles getan, um Sympathien für ihre Stadt zu erwecken, an der sie hing wie an einem kranken Kind. Sie hatte dabei völlig unbeabsichtigt, weil unberechnend und unraffiniert, Sympathien für sich selbst in den Brüdern gefördert.

Was für ein unheimlich nettes Mädchen, vor allem,

wenn man dahinter kam, daß ihre Burschikosität nichts anderes als Angstbellerei war. Sie versuchte damit nur vorbeugend und aggressiv ihr empfindsames, inneres Engelchen zu beschützen. So ein Mädchen wie Rieke hatte Bob sich immer als Schwester gewünscht. Mit seiner eigenen, um zwei Jahre älteren, vertrug er sich so vorzüglich, daß sie sich nicht einmal zu ihren Geburtstagen gratulierten.

Pepe kehrte auf seinen Sitz zurück.

»Na?«

»Alles raus. – Und wie geht's dir?«

»Blendend!«

»Wahrscheinlich liegt es daran, daß du einen deutschen Magen hast.«

Und danach lagen sie schweigend in ihren Sitzen und dachten jeder für sich.

Einmal sagte Bob: »Wir haben ihr nicht mal einen Blumenstrauß mitgebracht.«

Und kurz vor der Landung in München-Riem erinnerte sich Pepe: »Wie wir am Samstagmittag zu ihr kamen, da war da doch so eine unangenehme Person – erinnerst du dich? Rieke sagte, ihr Mann wäre von einer Türkin gebissen worden.«

»Ja. Ja und –?«

»Wir haben ganz vergessen zu fragen, warum.«

Rieke stieg mit Plumpsack in den Omnibus, Oberdeck, erste Reihe. Hinter ihnen waren alle Bänke leer.

Der Bus fuhr aus dem Flughafengelände Richtung Halensee. Eine Maschine donnerte steil in den Abendhimmel. Vielleicht war es diejenige, mit der Bob und Pepe nach München zurückflogen.

Jetzt, wo niemand mehr da war, dem sie Berlin zeigen konnte, hatte sie alle Lust an ihrer Stadt verloren. Fühlte sich zurückgelassen.

>>Rieke Birkow kommt mit Sixten,
Zieht jedoch per Los den Bob . . .<<

Ach, verflixten.

Er gefiel ihr auf einmal so sehr als Mann. Wodurch, zeugte weniger von seinen männlichen Qualitäten als von Riekes mangelnder Verwöhnung durch Männer.

Es war so lange her, daß sie bei einem das Gefühl von Sicherheit und Schutz verspürt hatte, eigentlich nur ein einziges Mal: bei ihrem Vater.

Allein optisch hatte er für das Kind Rieke ein einbruchssicheres Gebäude dargestellt, in das sie sich mit ihrem Kinderkummer verkriechen konnte. Ihr Vater schützte sie vor Spinnen, vor Gewitter und vor den Racheakten jener Knaben, die sie einzeln aufs Kreuz gelegt und verbimst hatte, weil sie von ihnen wegen ihrer Plumpheit gehänselt worden war.

Rieke war fünfzehn Jahre alt, als ihr Vater starb. Ihre Mutter heiratete ein Jahr später wieder.

Aus Treue zu ihrem Vater hatte sie diesen neuen Mann vom ersten Tage an befeindet und verschloß sich auch vor ihrer Mutter, die diesen Mann ins Haus gebracht hatte.

So kam es, daß sie ihren Freischwimmer machen mußte, ohne daß einer dagewesen wäre, der ihr gesagt hätte, wie man in diesem Leben richtig schwimmt. Sie war dennoch immer oben geblieben, irgendwie. Nur ihrem Schwimmstil merkte man an, daß er nicht auf natürliche Weise erlernt worden war, sondern im ständigen Kampf gegen das Absaufen.

Immerhin hatte sie diesem autodidaktischen Kursus ihre heutige Selbständigkeit zu verdanken.

Rieke war heute selbständig, unabhängig, stark – kein Wunder, daß sich labile Naturen wie Sixten und solche, die ihr Schicksal ziemlich umständlich, weil mit zwei linken Händen, anfaßten, zu ihr hingezogen fühlten. Sie war der Schutzwall, in dessen Windschatten sie sich geborgen fühlten, wenn es einmal unangenehm wurde. Es steckte viel Beschützerkraft in ihr.

Immer wieder hörte sie den Satz: »Rieke, mach du das lieber, du kannst das viel besser als ich.«

Und Rieke machte, sie war ja kein Spielverderber. Sie zahlte auch für sich selbst und bückte sich selbst, wenn ihr etwas herunterfiel und reagierte ungelenk, wenn einmal jemand auf die Idee kam, ihr in den Mantel zu helfen.

Und nun war Bob Taschner anderthalb Tage dagewesen und hatte ganz unglaubliche Sachen mit ihr gemacht, zum Beispiel beschützend die Hand um ihren Ellbogen gelegt, wenn sie eine belebte Straße überquerten.

Er hielt ihr die Türen auf. Und setzte sich nicht, bevor sie Platz genommen hatte.

Nachdem sie sich das zweite Mal schneller als er nach ihrer heruntergefallenen Tasche bückte, hatte er sie gefragt:

»Du läßt dir wohl nicht gern helfen?« Aber es klang verwundert, eher wie: Du bist ja nicht einmal an die simpelsten Selbstverständlichkeiten gewöhnt.

»Ach, das sind doch überholte Konventionen«, hatte sie gesagt.

Was ihr überhaupt nicht gefallen wollte: Bob hatte ihr natürliches Anlehnungsbedürfnis aus seinem jahrelangen Tiefschlaf geweckt.

Und während sie auf dem Oberdeck des Omnibusses heimwärts schwankte, wurde ihr klar, daß leider niemand zum Anlehnen da war.

Am nächsten Tag saß Friederike nach Feierabend in einem kleinen Waschsalon und wartete darauf, daß sich ihre Handtücher und Slips und Blusen in der Seifenlauge sauber turnten.

Außer ihr war nur noch eine Hausfrau anwesend, die ihre Aussteuer nach dem Mangeln voller Stolz zusammenlegte . . . da, schau sie dir nur an. Alles prima Qualität und umsichtig gepflegt. Zierde eines jeden Wäschespindes. Rieke hatte nie ein persönliches Verhältnis zu ihren Kopfkissen und Laken besessen. (Irgendwelche Ansätze dazu hatten die schwachsinnigen Werbespots der Waschmittelreklame von Anfang an im Keime erstickt.) Hauptsache, das Zeug war wieder sauber, trocken, weggeräumt und somit kein lästiger Punkt mehr auf ihrem Pflichtenzettel.

So egal wie heute aber war ihr die Wäsche noch nie gewesen. Sie hockte vor der Maschine, auf deren Bildschirm das Kochprogramm schwankend-schäumend ablief und stierte verträumt vor sich hin.

Es war etwas Bestürzendes mit Rieke geschehen. Sie hatte sich in Bob Taschner verliebt. Gleich nach seinem Abflug war es ihr zum ersten Male aufgefallen und hatte sich seither immer mehr gesteigert. (Rieke hinkte gern mit ihren Emotionen hinter den Geschehnissen her.)

Bei aller Hoffnungslosigkeit, es war ein herrliches

Gefühl. Es schaltete jeden Beschäftigungsdrang aus.

Sie brauchte nur dazusitzen und in die Waschtrommel zu träumen und sich wieder und wieder an jedes seiner Worte zu erinnern.

Er hatte zum Beispiel gesagt: »Ich mag deine Hände.«

Ausgerechnet diese ramponierten Arbeitspfoten, die sie meistens, zwischen den Knien gefaltet, unterm Tisch verborgen hielt.

Rieke hatte daraufhin empört protestiert. Ihre Hände wären scheußlich – aber das sei ja auch kein Wunder bei den Beizen und Laugen, mit denen sie täglich Umgang habe.

Bob konnte nur mit Mühe ihren Wortschwall unterbrechen. »Hör zu, hör doch mal zu, ich habe nie behauptet, daß sie schön sind. Ich habe nur gesagt, daß ich sie *mag!* Darf man dir denn gar nichts Nettes sagen?«

Obgleich sie ihn sobald nicht wiedersehen würde, wenn überhaupt noch einmal, hatte sich Rieke gleich heute früh ein für ihre Verhältnisse sündhaft teures Mittel gekauft, welches das Wachstum ihrer Nägel fördern sollte.

Bob war in München. In München war Vera. Gemeinsam wollten sie nach Mexiko fliegen, um dort Ferien zu machen.

Das Waschprogramm war beendet.

Rieke zog ihre Wäsche auf einmal heraus und stopfte sie in die Schleuder. Sie war in einer Stimmung, in der sie sich am liebsten selbst einen Vogel gezeigt hätte.

> »Dreht euch nicht um,
> Der Plumpsack geht um.
> Und Rieke ist dumm.«

Das war am Montag.

Am Dienstag ließ die Erinnerung an Bob sie wenigstens tagsüber zufrieden und setzte erst nach Feierabend intensiv ein.

Am Mittwoch spätestens hatte sie Post von ihnen erwartet.

Am Donnerstag flog Pepe nach Mexiko zurück.

Am Freitag wehrte sie sich mit allen Fasern ihrer Enttäuschung gegen die noch nicht einmal wochenalte Erinnerung an die Gebrüder Taschner aus Mexiko, die es nicht für nötig befunden hatten, sich noch einmal bei ihr zu melden.

Nicht mal eine Ansichtskarte: »Vielen Dank für die lokalpatriotische Vergewaltigung. Es war nett. Alles Gute.« Nicht einmal das! Dabei hielten sie doch sonst so viel von Konventionen.

Rieke war tief enttäuscht. Sie hatte fest angenommen, die Herzlichkeit der Brüder wäre von Herzen gekommen.

Aber anscheinend gehörten sie zu den Leuten, deren Liebenswürdigkeit man keine tiefere Bedeutung beimessen durfte.

Als sie am Freitagabend nach Hause kam, roch es bereits im Flur nach angebranntem Mändelchenpudding: Sixten war wieder da!

Ihn hatte sie völlig vergessen gehabt.

Friederike registrierte beim Betreten der Wohnung: ein ausgestülpter Kofferinhalt auf dem Sofa. Das Badezimmer unter Wasser. Rasierapparat im Waschbecken.

Angebrannter Topf in der Küche und die Eisschranktür nur angelehnt.

Sixten war wirklich zurück, wenn auch nirgends in der Wohnung zu finden.

Da Plumpsack ebenfalls fehlte, nahm sie an, daß sie gemeinsam einen Spaziergang machten.

Es war bereits dunkel, als sie heimkehrten.

»Rieke? He – Rieke, wo steckst du?«

Er fand sie zwischen den beiden Korbsesseln auf dem Balkon. Sie schaute den Himmel an.

»Hier bist du! Ich suche dich – warum sagst du nichts?«

Rieke zog ihre bloßen Füße vom zweiten Stuhl, damit er sich setzen konnte.

»N'abend.« Sein Mund suchte im Dunkel ihr Gesicht und landete auf ihrem linken Auge.

Er war nicht mehr ganz nüchtern, denn er hatte unterwegs Freund Charly getroffen und mit ihm mehrere Bier getrunken und ob Rieke noch ein letztes mit ihm zusammen –?

»Wie bist du zurückgekommen?« fragte sie.

»Aus München? Einfach irre. Mit einem Freund von Paul auf einer Siebenhundertfünfziger-BMW.«

»Hintendrauf?«

»Wo denn sonst!?« Sein Gesicht, so dunkel wie eine gebrannte Mandel – verklärte sich. »Rieke, ich sag's dir, wenn wir jemals zu Geld kommen sollten, kaufen wir uns eine Maschine. Irre. Einfach irre.«

»Aha.«

»Du denkst, du sitzt auf einem schmalen Hengst. Wenn du bloß den Motor im Leerlauf hörst, geht's schon los. Ein Kribbeln – sagenhaft! Du beschleunigst langsam – die Gabel hebt sich wie auf einem Luftkissen – du fliegst – du denkst, du fliegst – fahrende Autos sind nur noch Hindernisse, die im Wege stehen. Beim Überholen schaltest du zurück

– denkst, du kriegst einen Schlag ins Kreuz, gehst aufs Gas, es drückt dich in den Sitz – du hebst ab – das, also das kann nur noch vom Start einer Phantom übertroffen werden«, schwärmte Sixten. »Und wenn du dann in die Kurve gehst –«, er ging, »dann ist plötzlich der Straßenbeton ganz nah vor deinen Augen, aber die Fliehkraft hält dich im Sitz . . .« Er brach ab, irritiert durch ein Geräusch.

Rieke machte »Brrrrr – Prrrchch« vor sich hin wie ein Kind, das Autofahren mit Ton spielt. »Brrrr« mit vibrierender Unterlippe.

Sixten stieg ernüchtert von der Siebenfünfziger in den Korbsessel um. Knirsch.

»Und wie war es sonst so?«

»Paul und Lonka lassen dich grüßen.«

»Danke.«

»Mit 'nem Job hat sich noch nichts ergeben. So schnell geht das auch nicht – wär' ja ein Wunder. Außerdem ist jetzt Sauregurkenzeit.«

»Natürlich.«

»Und was war hier?«

»Nichts von Bedeutung. Der übliche Kleinkrieg im Haus.«

Sie schwiegen eine Weile. Klatschten nach Mükken. Hörten ab und zu ein Auto vorüberfahren und das müde Rascheln in den Bäumen, wenn der Wind im Schlaf ausatmete.

»Mal was von Vera gehört?« fragte Rieke.

»Ach, Mensch, die . . .«

»Wieso?«

»Wenn du mich fragst – das ist ein ganz verlogenes Luder. Du erinnerst dich doch, daß Max damals, wie der Unfall passierte, erzählt hat, die Vera hätte ihm wegen eines Eichkätzchens ins Steuer gegriffen und daß sie deshalb am Baum gelandet sind!?«

»Ja, das stimmt«, sagte Rieke.

»Und sie hat nicht widersprochen – oder?«

»Nein.«

»Aber jetzt streitet sie alles ab. Sie sagt, sie hätte damals unter Schock gestanden und überhaupt nicht hingehört, was Max gesagt hat. Max hat keine Zeugen – Aussage steht gegen Aussage – der Schaden an der Karre beträgt zwei Mille, und er ist bloß haftpflichtversichert. Natürlich glaubt ihr keiner, alle glauben Max. Da hat sich der Paul eingemischt und ist zur Vera hin und hat es im Guten versucht. Er hat gesagt, sie soll wenigstens die Hälfte des Schadens übernehmen, Max hat doch kein Geld. Sagte sie, sie hätte auch keins, und außerdem könnte sie nichts dafür, wenn er gegen den Baum knallt. Er soll froh sein, daß ihr nicht mehr passiert ist. Darauf ist der Paul zu ihrem Vater, dem Hals-Nasen-Ohren-Otto, in die Praxis und hat ihm den Fall vorgetragen. Und nun kommt's. Der Vater stritt gar nicht ab, daß seine Tochter ins Steuer gegriffen haben könnte. Er sagte bloß, das ginge ihn nichts an. Die Vera sei volljährig und verdiene. Wenn sie eine Dummheit macht, soll sie auch dafür geradestehen. Und dann kam die übliche Erwachsenenpredigt: ›Es wird langsam Zeit, daß ihr jungen Leute den Wert des Geldes schätzenlernt‹ und ›Denkzettel muß sein‹ und all so'nen Quark. Geld hat der Alte von der Vera genug, aber Denkzettel muß sein und sei es auf Kosten vom unschuldigen Max.«

Möglich, daß der Fall, von einem Juristen vorgetragen, etwas anders geklungen hätte als von Sixten, der zweihundertprozentig auf Max Mosers Seite stand, allein schon, weil er die Vera nicht leiden konnte.

Rieke tat dieser Bericht unendlich wohl. Ihretwegen konnte gar nicht genug auf Vera geschimpft werden. Immer rauf auf Vera mit dem Schlimmen! Immer rauf.

»Was sagt denn der Taschner dazu?«

»Wer?«

»Na – mein Rallyepartner.«

»Ach so – der. Den habe ich seither nicht mehr gesehen.«

»Er war doch so verknallt in Vera!«

»Ja, das war er«, erinnerte sich Sixten.

»Sicher weiß er gar nicht, wie sie dem armen Maxl

mitgespielt hat. Sicher kennt er nur ihre Version von dem Unfall.«

»Schon möglich.«

»Sonst müßten ihm ja – bei aller Verknalltheit – inzwischen die Augen aufgegangen sein – oder was meinst du?«

»Ja, kann sein.« Sixten interessierte das überhaupt nicht. Leider.

Rieke stand auf.

»Wo willst du hin?« fragte er. »Wenn du in die Küche gehst, bring noch ein Bier mit.«

»Ich geh schlafen.«

»Was? Jetzt schon? Es ist noch nicht mal elf!«

Sie nahm das Kissen aus ihrem Balkonstuhl – falls es in der Nacht regnen sollte.

»Ich dachte, wir quatschen noch'n bißchen . . .«

»Ich bin müde«, sagte sie mit Nachdruck. »Gute Nacht.«

Sixten hatte sich diesen ersten Abend mit Rieke anders vorgestellt. Vielleicht war sie eingeschnappt, weil er einen Freitag später nach Hause gekommen war, als er versprochen hatte. Aber das würde sich spätestens im Laufe des morgigen Tages gelegt haben. Selbst wenn Rieke eine Verstimmung auf längere Zeit plante, so war sie meistens die erste, die sie wieder vergaß.

6

Und so nahmen sie ihren gemeinsamen Alltag wieder auf. Sixten tapezierte bei Frau von Arnim das Wohnzimmer, vertrat kurzfristig einen Vertreter für Teppichreinigungsschaum, fotografierte eine Hochzeit, übernahm eine Grabpflege – und ging weiter stempeln.

Rieke fuhr jeden Morgen, von drei Weckern durch den Schlaf geschossen, nach Charlottenburg in Papkes Werkstatt und kam vor sechs Uhr abends nicht zurück.

Und Plumpsack ging seinen eigenen Interessen nach.

Einmal riefen Paul und Lonka an und fragten nach ihren Urlaubsplänen, und ob sie nicht gemeinsam mit ihnen nach Norwegen reisen wollten. Sie kannten den Norden Europas noch nicht, und Sixten als Enkel eines schwedischen Pastors würde bestimmt einen guten Reiseführer abgeben.

»Es ist zwar ganz unmöglich, aber trotzdem nett von ihnen, an uns zu denken, findest du nicht?« sagte Sixten nach diesem Telefongespräch.

»Goldig. Wann fahren wir?«

»Ich meine, es ist nett, daß sie an uns nicht wie an arme Schlucker denken.«

Auf einmal tat er Rieke sehr leid. Was mochten da tagtäglich für Depressionen und Minderwertigkeitskomplexe durch Sixtens unbeschäftigtes Hirn tigern!

Sie nahm sein eckiges Gesicht zwischen ihre Hände.

»He – du!«

»Hm?«

»Es wird schon wieder. Bestimmt.«

»Vielleicht sollte ich was Neues lernen!«

»Eben. Mach das doch.«

»Und dann lerne ich was Neues und kriege damit auch keinen Job.«

»Aber dann bist du wenigstens beschäftigt.«

»Wenn ich Beziehungen hätte«, seufzte er. »Mit Beziehungen ist alles viel leichter.«

Das war die Überleitung zu seinem täglichen Klagelied, das Rieke – bei allem Verständnis für seine Lage – nicht mehr ertragen konnte. Es war schon ein Kreuz mit Sixten. Aber wenn sie ganz ehrlich war – er hatte es auch nicht leicht mit ihr. Sie war launisch geworden – sehnsüchtig, gespannt – so gespannt – aber worauf?

Irgendwas mußte endlich geschehen.

Es geschah auch etwas. Mitten auf dem Kurfürstendamm, auf einer Kreuzung beim Abbiegen, während der Hauptverkehrszeit, riß ihr das Kupplungsseil.

Da stand sie nun als Hindernis – fühlte sich mannigfacher Ungeduld ausgesetzt –, sah die vorwurfsvollen und die schadenfrohen Blicke der Autofahrer, die sich an ihr vorbeizwängen mußten – überlegte einen Augenblick lang, ob sie feuchte Hände kriegen sollte vor Nervosität – oder lieber darüber lachen.

Rieke lachte. Blieb in ihrem Auto sitzen und lachte aus vollem Halse. Rutscht mir doch alle den Buckel runter!

Und danach ging es ihr besser. Die Krise war vorüber. Sie war nicht länger ungeduldig, sehnsüchtig, gespannt – sie hatte zwar einmal wieder kein Auto, aber dafür ein fröhliches Herz.

Elsbeth Kosewinkel lauerte ihr auf, als sie nach Haus kam. Elsbeth in der üblichen, angeschmuddelten rosa Häkeljacke überm Nachthemd. Sie war Nachtschwester für private Pflegefälle, die es sich leisten konnten, sie zu engagieren. Darum schlief sie am Tage.

Gerade letzte Nacht hatte sie einem Staatssekretär

a. D. die Augen zugedrückt und den Schmerz seiner Witwe genossen. Aber die bekam ja eine schöne Pension.

»Frollein Birkow!« rief sie, als Rieke an ihrer Wohnungstür vorbeihuschen wollte. »Nu renn Se doch nich so, ick muß Ihnen wat saren!«

Rieke fürchtete entweder eine neue Greueltat von Üskül oder die Schilderung der letzten Stunden eines hochgestellten Pflegefalles!

»Heut war der Briefträger da. Und hatte 'n Einschreiben für Ihnen. Aber Sie warn nich da und Herr Forster war ooch nich da und mir wollt er's nich jeben.«

Ein Einschreiben! Du lieber Himmel! Einschreiben kamen für Rieke meistens nur von der Verkehrspolizei. Was hatte sie denn nun schon wieder ausgefressen!

Wo war sie zuletzt geblitzt worden, ohne es zu merken!?

Oder war sie es gar nicht gewesen, sondern Sixten?

»Sixten!«

»Komm mir bloß nicht mit dem Ton«, stöhnte er hinter seiner Zeitung, »ich räume ja gleich auf!«

»Es liegt ein Einschreiben auf der Post. Vom Hauswirt kann's nicht sein, dann wäre es an uns beide gerichtet. Also ist es wegen des Autos.«

»Scheißkarre«, brummte er. »Entweder sie ist kaputt oder sie ist straffällig.«

Am nächsten Tag holte Friederike das Einschreiben von der Post.

Es handelte sich um den Brief einer Münchner Firma zur Herstellung von Maschinen zur Verpackungsherstellung und enthielt folgenden Text:

»Sehr geehrtes Fräulein Birkow!

Im Auftrage der Herren Robert und José Maria Taschner, welche sich zur Zeit in Mexiko befinden, schicke ich Ihnen beiliegendes Flugticket.

Herr José Maria Taschner sendet Ihnen per Telex seine herzlichsten Grüße und bittet Sie, sich umgehend um Visum und Pockenimpfung zu kümmern, damit Sie den im Flugticket vermerkten Abreisetermin einhalten können.

Außerdem werden Sie gebeten, Ihre Garderobe auf warmes und auf kühles Wetter einzurichten.

Mit vorzüglicher Hochachtung und guten Reisewünschen empfiehlt sich

K. Unleserlich«

Anlagen:
Ein Flugticket Berlin—Frankfurt—Mexico City und zurück. Außerdem die Adresse der Familie Taschner in Mexico City.

Friederike stand eine Weile mit dem Brief im Zimmer und traute dem Geschehenen nicht. Sie biß sich auf die Lippe. Es tat weh, dennoch wachte sie davon nicht auf, also schlief sie nicht.

Es war alles echt! Kein Jux.

Von der Küche her hörte sie Planschen, Klirren und Scheuergeräusche: Sixten wusch ab.

»Sixten!«

»Was gibt's?«

»Hattest du in letzter Zeit einmal ein echtes Glücksgefühl?«

Er trocknete seine Unterarme ab und überlegte.

»Ja.«

»Wann war das?«

»Das war noch in München. Das war gleich nach deiner Abreise. Das war so: Ich hatte Lonka versprochen, ich mache ihr den Abwasch vom ganzen Wochenende. Da war doch noch das Freitagabendgeschirr von der Rallyeparty mit dabei.«

»Sixten!« Sein umständliches Erzählen machte sie kribbelig. »Ich habe dich gefragt, wann du das letzte Mal ein Glücksgefühl hattest!«

»Na, eben an dem Wochenende«, sagte er, gekränkt über ihre Ungeduld. »Ich kam in die Küche und dachte, ich muß das alles per Hand abwaschen. Dabei hatten sie eine Geschirrspülmaschine!« Seine Augen leuchteten noch nachträglich auf. »Warum fragst du?«

»Guck mal.« Sie reichte ihm das Flugticket.

Er blätterte lange darin herum, vor und zurück: »Bist du ganz sicher, daß da kein Irrtum vorliegt?«

»Es steht ja mein Name drin. Lies doch: Miß Birkow.«

Und dann gab sie ihm den Begleitbrief, den er ihrer Meinung nach viel zu langsam durchlas.

Endlich sah er sinnend hoch. »Taschner? Die von der Rallye?«

»Ja doch!«

»Aber wieso dir? Ich denke, Vera . . .«

»Was weiß ich!? Vielleicht ist sie schon drüben!«

»Und wer ist Josse Maria?«

»Chosee wird das ausgesprochen.«

»Ja, gut. Aber wer ist das?«

»Pepe. Bob Taschners kleiner Halbbruder.«

»Der ist doch viel zu jung für dich!«

»Sixten!«

»Ich hab' mal gelesen, daß man in gewissen überseeischen Kreisen Playgirls aus Europa einfliegen läßt – wegen der Kurzweil. Aber doch nicht so eine wie dich!« Er sah sie ebenso neidisch wie besorgt an. »Da ist ein Haken bei! Rieke, ich sage es dir, an der Geschichte ist was faul!«

Rieke selbst kam die Einladung nicht ganz geheuer vor. Bei aller Jugend hatte sie doch genügend Lebenserfahrung gesammelt, um zu wissen, daß sie kein Gewinnertyp war, eher ein Draufzahler.

Der einzige Mensch außer ihrem Vater, auf den sie sich bisher verlassen konnte, hieß Friederike Birkow. Und ihre einzige Möglichkeit, zu Geld zu kommen, war Arbeit gewesen. Wenn sie Lotto spielte, blieben das höchst Erreichbare für sie immer nur drei Richtige. Wenn sie in Würfel- oder Schießbuden aktiv wurde: niemals den großen Teddybären, höchstens ein Papierblümchen. Beim Kartenspiel hatte sie nur so lange ein gutes Blatt, solange nicht um Geld gespielt wurde. Und nun eine Flugkarte nach Mexiko.

Sixten hatte recht, so was Teures schickte man Jetset-Gespielinnen oder seiner großen Liebe, der allerdings ohne Rückfahrkarte. Beides traf auf sie nicht zu.

»Vielleicht wollen sie mir eine Freude machen?« überlegte sie.

Und Sixten: »Reiche Leute sind selten menschen-
freundlich. Außerdem sind sie geizig. Sonst wären
sie nicht so reich.«
Woher er seine Weisheiten hatte? Im Zweifelsfalle
immer aus Illustrierten.
Rieke hatte genug von seiner Skepsis. Sie wollte
sich endlich freuen.
Bob und Pepe hatten sie eingeladen. Sie sollte Bob
und Pepe wiedersehen! Sie durfte wieder das
kleine Fünkchen Hoffnung anzünden.
Bob.
Mexiko.
Rieke suchte ihren Schulatlas, den Plumpsack an-
gefressen hatte, als er noch ein sehr kleiner Hund
war. Sie fand ihn nicht. War ja auch egal. Mexiko
lag in der Mitte von oben und unten von Ame-
rika.
Bob und Pepe.
Sie hatte sich nicht in ihnen getäuscht. Ihre Herzlichkeit war immer von Herzen gekommen.
Das war das Schönste von allem.
Rieke pfiff nach Plumpsack und rannte dreimal mit
ihm um den Block, bis das Milzstechen stärker war
als ihr Bedürfnis, aus vollem Hals zu jodeln.

Später schnipste der Realist in ihr mit den Fingern. Er wollte auch mal was sagen, bitte um Ruhe, danke, also: Die Frage des Fahrgeldes war zwar gelöst, was aber wurde in Mexiko? Wovon wollte sie ihren Aufenthalt dort finanzieren? Selbst wenn sie bei Taschners wohnen sollte – wovon bezahlte sie drüben ihr Eigenleben?

Sie wollte schließlich nicht abhängig sein.

»Sixten? Ist Mexiko teuer?«

»Frag mich was Leichteres. Sag mir lieber, wie lange willst du drüben bleiben?«

»Vierzehn Tage.«

»So. Vierzehn Tage.«

»Das ist eh nicht viel für so ein Land.«

Er betrachtete sie säuerlich. »Vergiß nicht, Rieke, Fisch und Besuch stinken bereits nach drei Tagen!«

Friederike wartete einen satten, gemütsfrohen Moment ihres Meisters ab, bevor sie ihm das Tikket vorlegte. Er blätterte darin. Las den Abflugtermin und schaute mißbilligend auf.

»Nächste Woche schon? – Det kommt 'n bißken plötzlich!«

»Ich weiß, Herr Papke, aber –«

»Vor drei Wochen ist nischt drinne. Du weeßt ja, was an Arbeet ansteht.«

»Also in drei Wochen?«

Papke zuckte resignierend mit den Schultern. »Wat soll ick machen? Sare ick nee, maulste in eene Tour. Also sare ick lieba ja.«

Rieke umarmte und küßte ihn zum Dank. Das mochte Papke gern.

»Aba, Kleene! Du kommst doch wieda, ja?«

Zwei Tage später.

Papke setzte gerade zentimetergroße Elfenbeinintarsien in Form von venezianischen Musikanten in eine restaurierte Kommode ein, als Rieke aus der Mittagspause zurückkehrte.

»Herr Papke. Kann ich Sie mal stören? Also: Ich war gerade bei einer Schulfreundin. Die arbeitet in einem Reisebüro. Sie kann mir einen Charterflug nach Mexiko besorgen, der kostet die Hälfte von meinem regulären Flug. Jetzt muß ich einen finden, der mir meinen regulären Flug abkauft und sich dafür einen Gutschein über diese Summe ausstellen läßt und die im Laufe des Jahres abfliegt.

Herr Papke, Sie kennen doch genug Geschäfts-
leute, könnten Sie die nicht mal fragen?«

Der Meister hatte ihr zugehört mit der Mimik eines gutmütigen, auch parierwilligen Bernhardi-
ners, dem man drei Befehle auf einmal gibt. Und
nun blickt er nicht mehr durch.

»Sag dies alles noch mal, aba schön langsam.«

Rieke mußte ihm ihre finanztechnischen Überlegungen zweimal wiederholen, dann setzte in Papkes Hirn endlich die Dämmerung ein. »Und nu sag
mir nur noch, warum det Janze?«

»Schaun Sie, wenn ich das Geld für das reguläre
Ticket kriege und mir für die Hälfte einen Char-
terflug kaufe, bleibt mir die andere Hälfte zum
Verleben. Das heißt, ich bin drüben flüssig.«

»Vasteh ick.« Er kehrte an seine Arbeit zurück. Irgendwann im Verlaufe des Nachmittags gab er
wieder Laut. »Ick gloobe, ick hab' vielleicht eenen.
– Draußen in Ruhleben. Nich 'n Neumeesta, 'n
andern. Schreib mir det man allet jenau auf, wat de
willst. Zum Ausnanderklamüsern is et zu müh-
sam.«

Zwei Tage später kam ein Eilbrief aus München von Bobs Firma mit der Bitte um eine Telefonnummer. Rieke gab Papkes Nummer an.

Das führte zu einem Vorfall, der selbst des Meisters unendliche Toleranz überstieg.

»Hör mal zu, Kleene«, empfing er sie eines Morgens ungehalten. »Ick tu ja allet, aber um zwee früh aus d' Bette jeholt wern, den Bauch voll Boscholläh –« er sah sie anklagend an – als ob sie etwas dafür könnte, daß er einmal wieder zuviel Rotwein getrunken hatte.

»Und?«

»Mexiko war am Telefon. Ein Pepe.«

Rieke war enttäuscht. »Bloß Pepe . . .«

»Mir hat's jelangt. Er wollte wissen, wann du nu endlich drüben eintrudelst. Ick hab' ihm jesacht, vor zwölf Tage is nischt drin. Dieses schien ihm einerseits entschieden zu spät – andrerseits – wat sollt er machen? Und schönen Gruß und du möchst telejrafiern, bevor daß de ankommst. Wejen abholen. – Sag mal, Kleene, wat sind det eijentlich für Scheiche? Wat wolln die von dir? Und det ooch noch so eilig?«

»Tut mir leid, ich weiß es selbst nicht.«

»Aba kennen tun tuste sie, ja?« und als sie nickte, »und hast 'n ordentlichen Eindruck jehabt, ja?« Und als Rieke wiederum nickte, meinte er, sich selbst beruhigend: »Naja. Määchenhändler könn'n det nich sein. Dafür biste nich der Typus. Mexiko liecht ja ooch nich im Orjent. Aba – Kleene, seltsam isset doch!«

Eines hatten Papkes und Sixtens massive Skepsis immerhin erreicht: Friederike begann nun selbst an edlen Absichten der Taschner-Brüder zu zweifeln.

Fünf Tage vor ihrem Abflug gab sie ein Telegramm nach Mexico City auf, in dem sie den genauen Termin ihrer Ankunft ankündigte. Sie selbst arbeitete bis zum letzten Augenblick voller Emsigkeit in der Werkstatt, um Papke ihre Dankbarkeit für das Unterbringen ihres Tickets gegen Barzahlung zu zeigen. Er war schon ein netter Kerl. Das fand er auch.

»In Charlottenburg, wart sare ick, in janz Europa hättste keenen vaständnisvolleren Meesta wie Papke finden können.«

»Ganz bestimmt nicht«, versicherte sie, so oft er es hören wollte. »Ich habe großes Glück mit Ihnen.«

»Ja, dis haste.«

Er brachte sie am letzten Abend sogar bis zur Haltestelle und wartete mit ihr auf den Omnibus. Und zerbrach sich dabei ihren Kopf: »Weeßte, einerseits is dis mit 'm Charter ne bong Idee, aba andererseits –! Wenn et drüben nu Mist is, kannste nich einfach abhauen und mit der nächsten Maschine retour. Dis jeht nu nich mehr. Nu mußte drüben ausharren, ejal wat kommt, bis daß de mit 'm Rückflug dran bist.«

Der Bus kam. Sie umarmten sich.

»Na denn, Kleene, wird schon schiefjehn.«

Beim Einsteigen rief sie ihm zu: »Ich bring Ihnen auch was mit.«

Papke trabte plattfüßig neben dem anfahrenden Bus her: »Aba – hörste – nisch mit 'n Aztekenkalenda druff!«

Ich hab's gut, dachte Rieke im Gedrängel auf der hinteren Plattform, während der Bus den Kurfürstendamm Richtung Halensee hinaufschaukelte, ich habe ein paar richtig gute Freunde.

Frau von Arnim aus der Beletage borgte ihr ein spanisches Lexikon aus dem Jahre 1912 und stopfte sie mit guten Ratschlägen voll betreffs der Behandlung von Eingeborenen, Flohstichen, Schlangenbissen und Erdbeben, denn sie hatte zwischen den Weltkriegen Vorderasien bereist und kannte sich aus. Außerdem pumpte sie Rieke ihren wundervollen, stabilen Rindslederkoffer mit Messingbeschlägen. Sein Eigengewicht erreichte bereits ohne Inhalt das Höchstgewicht für Fluggepäck. Den Koffer abzulehnen, hätte jedoch bedeutet, die Oberstwitwe zu kränken. Und das wollte sie auf keinen Fall.

Also versteckte sie den adligen Koffer für die

Dauer ihrer Abwesenheit unter ihrem Bett und würde ihn am Tage ihrer Rückkehr zusammen mit einem mexikanischen Mitbringsel in die Beletage zurückbringen.

Rieke hatte nicht nur ihre Reise gründlich vorbereitet, sondern auch den Notfall: »Falls ich abstürzen sollte, kann mir keiner nachreden, ich wäre zu Lebzeiten eine Schlampe gewesen.«
Sie verließ ein aufgeräumtes, geputztes, wohlgeordnetes Heim.
Sixten hatte ihr mit steigendem Unbehagen zugesehen. Auch wenn es nicht mehr so wie früher zwischen ihnen war, auch wenn sie sich ihm seit Wochen mit zerknirschtem Blick und mütterlichem Wangestreicheln entzogen hatte – er hing noch immer sehr an ihr. Rieke war sein Rückgrat, sein einziger Halt zur Zeit. Er hatte Angst, sie zu verlieren.
»Paß bloß gut auf dich auf!«
Rieke wiederum hatte ein schlechtes Gewissen Sixten gegenüber. Sie fühlte sich ungerecht vom Schicksal bevorzugt – ohne jedoch bereit zu sein, um der Gerechtigkeit willen auf diese Reise zu

verzichten – so konsequent schlecht war ihr Gewissen nun auch wieder nicht.

».. . und außerdem sind es ja bloß vierzehn Tage!«

Vor lauter Sorge, ihre drei Wecker zu überhören, schlief sie in dieser Nacht erst gar nicht ein.

Die Tür zu Sixten war angelehnt. Sie hörte ihn im Bett rotieren auf der Suche nach Schlaf.

»Sixten?«

»Hm, ja?«

»Komm mal her . . .«

Er tappte im Dunkeln in ihr Zimmer. Blieb vor ihrem Bett stehen und wußte nicht, was nun werden sollte . . . sie war ihm so lange aus dem Weg gegangen.

Rieke lüftete ihre Decke und rutschte ein Stückchen zur Seite und machte sie erst wieder zu, als sie ihn neben sich spürte.

Sehr leidenschaftlich war keinem von beiden zumute, aber es war gut, sich im Arm zu halten.

Einmal hatten sie sich sehr lieb gehabt . . .

»Komm bloß wieder«, sagte Sixten.

7

Friederike kam es so vor, als ob die Maschine von Abgeordneten des Vereins der bundesrepublikanischen Fettleibigen gechartert worden wäre, und es wunderte sie, wie sie bei so viel Übergewicht überhaupt an Höhe gewinnen konnte.

Sie selbst saß zwischen zwei Mastexemplaren eingekeilt, von ihren Schnarchern und Ellbogen bedrängt. Ab und zu sackte ein Kopf auf ihr Territorium über. Der Liegesitz vor ihr hing durch bis auf ihre Nasenspitze, der sollte auch einmal repariert werden.

Atemnot, unterstützt von Platzangst, stellte sich ein. Und zu allem ging ihr ein Lied von Reinhard Mey nicht aus dem Sinn: »Über den Wolken muß die Freiheit wohl grenzenlos sein . . .«

Ein Lied, zu dem die Idee in einem mehrstündigen Verkehrsstau auf der Autobahn beim Anblick eines einsam ziehenden Fliegers geboren sein mochte, auf gar keinen Fall in einer proppenvollen, nächtlichen Chartermaschine.

Als Rieke endlich in einen hauchdünnen Schlafdämmer entschwebte, wurde warmes Mittagessen serviert, das war so um zwei Uhr nachts und genau das, was sie um diese Zeit am ehesten hätte entbehren können. Als sie endlich schlief, mußte ihr Nachbar vom Fensterplatz auf die Toilette. Das bedeutete, zweimal die Sitzreihe räumen, einmal bei seinem Auszug und einmal bei seiner Wiederkehr.

Danach hatte sie einen schweren Traum. Sie war bei der Familie Taschner und mußte ihre getäfelten Zimmer mit dem Polierballen handpolieren. Jede Wand einzeln. (Jetzt wußte sie endlich den Grund für die Einladung nach Mexiko.)

Als ihre verkrampft kreisende Hand den rechten Sitznachbarn an der Nase erwischte, weckte er sie und erkundigte sich, ob sie das mit Absicht gemacht habe.

Rieke entschuldigte sich vielmals und war ihm dankbar, daß er sie geweckt hatte. »Stellen Sie sich vor, ich mußte in Mexico City getäfelte Wände handpolieren!«

»Ja, ja«, sagte der Dicke, »da drüben nehmen sie die Arbeiter noch nach Strich und Faden aus!«

Um sechs Uhr früh wurde, einem dringenden Bedürfnis abhelfend, ein leicht versalzenes Abendessen serviert. Mit Mixed pickles. Anschließend landete die Maschine zwischen – auf einem kleinen, schäbigen Flughafen oberhalb New Yorks. Es

goß, es zog kalt, es war gemütlich wie in einer La-
gerhalle, es war hier zwei Uhr früh.
Und es war das erste Mal in Riekes Leben, daß sie
den Beton eines anderen als des europäischen
Kontinents unter den Füßen spürte.
Was war das Reisen doch heutzutage romantisch.

Beim letzten Check-up ihres Äußeren befiel sie
plötzlich loderndes, herzpuckerndes Lampenfieber, gewürzt mit Reue.
Natürlich freute sie sich sehr auf Bob und Pepe.
Aber da waren ja nicht nur Bob und Pepe, sondern
auch ihre Familie, bei der sie wohnen sollte. Der
Gedanke, vierzehn Tage lang ein wohlerzogenes,
umsichtiges, für die großmütige Einladung in seiner Dankbarkeit nimmermüdes Mädchen mimen
zu müssen, versetzte sie plötzlich in Panik.
Das Dumme war nur, daß ihr diese Überlegung
nicht in Berlin gekommen war, sondern erst jetzt,
beim Anflug auf Mexico City.

Fast alle Passagiere wurden abgeholt. Die einen von den Reiseleitern ihres Touristikunternehmens, die Einzelreisenden von ihren Freunden und Verwandten. Ein Reiseleiter für 19 Personen. 19 Familienangehörige für einen Verwandten.

Lachen, Rufen, Umarmungen, Freudentränen . . . Friederike sah zu, bis in die Knochen gerührt. Anderer Leute Emotionen gingen ihr immer sehr zu Herzen. Bloß was war mit ihrer eigenen Begrüßung? Wann fand diese endlich statt?

Sie hatte fest damit gerechnet, daß Bob und Pepe sie abholen würden, wenigstens Bob . . . oder Pepe . . . Aber so gar keiner?

Vielleicht hatten sie auf dem Wege zum Flughafen eine Panne gehabt oder waren in einen Verkehrsstau geraten.

Rieke wartete eine halbe Stunde und ahnte doch die ganze Zeit, daß keiner mehr kommen würde.

Das war die erste Enttäuschung an ihrem Ankunftsmorgen.

Es folgte umgehend die zweite.

Sie wurde nicht nur nicht abgeholt, es wollten sie auch keine Taxis mitnehmen. Obgleich sie ihnen gestikulierend vor den Kühler sprang.

Warum hielten sie nicht? Sie sahen nicht so aus, als ob sie auf Fahrgäste verzichten könnten. Manche klapperten wie Skelette im Windkanal.

Rieke schloß sich einer Gruppe von Mexikanern

an, die mit Zetteln um einen Ordner warben. Er wies sie in vorfahrende Taxis ein. Rieke wollte auch eingewiesen werden, verdammt noch mal, aber der Ordner ließ sie nicht.

Lieber Himmel! Hatte sie die verzwickten Aufgaben der Juxrallye lösen können, müßte es ihr doch auch gelingen, das Geheimnis mexikanischer Taxibräuche zu ergründen.

Als sie sich immer hilfloser um sich selbst zu drehen begann, kam ein bärtiger Amerikaner daher. Er trug seinen Reisesack so gebuckelt wie ein Atlas seinen Berliner Stuckbalkon.

»What's wrong, honey?«

Rieke packte klagend ihre Nöte vor ihm aus.

»Listen, honey. Das ist ganz einfach. Du gehst zur Bank und wechselst dir Geld ein, dann gehst du zum Taxischalter und kaufst dir ein Ticket, dann suchst du dir ein Sammeltaxi, das in die Richtung fährt, wo du hinmußt. Klar?«

»Und warum der ganze Umstand?«

»Neue Sicherheitsmaßnahme. Damit du ohne Umweg durch halb Mexiko da landest, wo du hinwillst.«

Fünfzehn Minuten später saß Rieke in einem Taxi, in dem schon zwei andere Fahrgäste Platz genommen hatten. Sie sahen so aus wie die Bösewichte in amerikanischen Western, die ja sehr häufig von Mexikanern gespielt werden müssen.

Im ganzen war eine Stunde seit ihrer Landung vergangen. In dieser Stunde hatte Friederike Birkow all ihre Illusionen und Wunschträume in die Gosse gekippt und nur noch nüchterne Ziele: 1. Zu Taschners fahren und ergründen, warum man sie über 10 000 Kilometer hergelockt und dann ihrem Schicksal überlassen hatte. 2. Den sauberen Brüdern Bob und Pepe in unverblümten Worten mitteilen, was sie inzwischen für eine üble Meinung von ihnen hatte. 3. Selbige nie mehr wiedersehen. 4. Ein deutsches Reisebüro aufsuchen, Bildungsroute zusammenstellen lassen, Land und Leute auf eigene Faust kennenlernen, bis Geld alle. 5. stand noch nicht fest.

Das Taxi raste krachend und klappernd eine breite Straße hinunter.

Durch die offenen Fenster fegte kalter Zugwind und spielte mit der Fransenumrandung eines Madonnenbildes oberhalb des Fahrersitzes. Keiner sprach mit keinem. Sobald sie an einer Kreuzung bei Rot halten mußten, schwärmten Kinder zwischen die Wagen, boten Kleenex, Kaugummis, Lotterielose und Zeitungen an, putzten Scheiben und überlebten auf wunderbare Weise das Anfahren der Automeute.

Vor ihnen raste ein Lastwagen, überladen mit Säkken. Obendrauf hopsten haltlos drei Arbeiter umeinander. Es war nur eine Frage der Zeit, wann der erste von ihnen herunterfallen würde. Sie überholten einen uralten, gelben Omnibus mit Menschentrauben an den Türen.

Polizeisirenen wimmerten hysterisch durch diese Blechlawine ohne Rücksicht auf Vorfahrtsregeln.

Zu Hause in Berlin wäre bei solcher unorthodoxen Fahrweise längst der Verkehr zusammengebrochen. Warum gab es hier keine Massenkarambolagen?

Das Taxi hielt. Ein Mitfahrer stieg mit seinem Koffer grußlos aus.

Am Straßenrand lag ein überfahrener Hund. Ein flaches Bündel Fell, von dem Stille ausging.

Sie verließen den Highway und fuhren einen grünen Hügel hinauf. Rechts und links der schmalen Straße zogen sich lange, hohe, abweisende Mauern hin, dazwischen offene Grundstücke mit Elendsbaracken aus Steinen, Kistenbrettern und Wellblech.

Es wimmelte von Kindern und mageren Hunden.

Das Taxi hielt vor einem hölzernen Tor. Der Fahrer, ein Indio, sah sich auffordernd nach Rieke um.

Sie schüttelte den Kopf. Nein. Das mußte ein Irrtum sein.

Hier wohnten Taschners bestimmt nicht.

Sie hielt ihm die Adresse vor die Nase. Er nickte, denn er konnte lesen, stieg aus und holte ihr Gepäck aus dem Kofferraum.

Nun stand sie vor dem großen Tor alleingelassen in der Fremde und suchte nach einem Namensschild und fand keins und suchte nach einem Klingelknopf und fand keinen und genierte sich, Huhu zu rufen.

Mit ihr warteten ein Greis, mehrere Kinder und herrenlose Hunde auf das, was kommen würde.

Rieke beschloß, mit den Fäusten gegen das Tor zu bummern.

Es dröhnte schön und reagierte die Aggressionen ab, mit denen sie bis in die Ohrläppchen geladen war.

Hinter der Mauer kreischten zornige Hündchen.

Es öffnete sich schließlich eine Luke in der Mauer wie ein Fenster in einem Weihnachtskalender, und ein rundes, olivenhäutiges Männergesicht wurde sichtbar. Kein Lächeln.

Kühles Mustern von Rieke, ihrem Reisegepäck und ihrem Straßenanhang, der inzwischen auf dreizehn Elemente – zwei- und vierbeinige – angewachsen war.

»Hier wohnen Taschners, ja? Ich Friederike Bir-

kow. Ich hier Visite!« Sie brüllte ihre Sätze langsam und in gebrochenem Deutsch. Das hatte sie im Umgang mit den Haustürken gelernt.
Das Olivengesicht verschwand. Die Klappe ging zu. Das Tor ging auf.
Rieke trat ein. Aber wo hinein! Sie glaubte zu träumen. Im Schutz der hohen, von Bougainvilleas in allen Farbtönen zwischen hellem Pink und tiefem Lila überwucherten Mauern breitete sich jahrhundertealter Wohlstand aus. Ein Herrenhaus im spanischen Kolonialstil, umblüht von Hibiskushecken, überdacht von Palmen. Wenn nur nicht diese verflixten, kleinen Hündchen gewesen wären – zwei nackichte Chihuahuas und ein Griffonterrier, die in ihre Hacken zu zwicken versuchten. Riekes Füße wehrten sich dagegen mit Bewegungen, als ob sie Charleston tanzten.

Eine wunderschöne junge Frau stand plötzlich im Eingang. Sie war »so weiß wie Schnee, so rot wie Blut, so schwarz wie Ebenholz« und so plump und klein wie Sancho Pansa.
Rieke ging auf dieses Schneewittchen zu.
»Ich bin Friederike Birkow.«

Fragender, nichts begreifender Blick aus schwarzen El-Greco-Augen.

»Aus Berlin.«

»Ja, bitte?«

Wenigstens sprach Schneewittchen Deutsch.

»Sind Sie Frau Taschner? Pepes Mutter?«

»Ja.«

»Wissen Sie nicht, ich meine –« es war so peinlich, »ich bin hier eingeladen. Von Ihrem Sohn. Haben Sie mein Telegramm nicht bekommen?«

Frau Taschner legte, sichtbar erschrocken, zwei Daumen unter ihr Kinn und die Zeigefinger um ihre Nase. Und dabei warf sie einen raschen, prüfenden Blick auf Riekes Bauch. Lächelte nervös.

»Telegramm? Haben Sie eins geschickt –? Ach!« lächelte sie leidend. »Unsere Post! Es tut mir leid – bitte, kommen Sie herein, Fräulein –?«

»Birkow. Friederike Birkow.«

»Sie sagten, Sie kommen aus Berlin?«

»Ja. Haben Bob und Pepe nicht von mir erzählt?«

»O ja, natürlich –« natürlich hatten sie nicht. Ein Telefon schrillte irgendwo im Haus. Ein Mädchen sprach mit Frau Taschner so rasch, wie ein MG in Notwehr knattert. Sie legte schon wieder Finger um die Nase. Offensichtlich waren ihre Nerven in keinem guten Zustand.

Rieke wurde mit hastigen Entschuldigungen dem Hausmädchen Rosina übergeben und mußte ihr folgen, von Mißtrauen durchwuchert. Hier blieb sie keinen Tag.

Wo waren Bob und Pepe? Waren sie zur Zeit überhaupt in Mexiko?

Wie können so teure Telegramme wie ihres verlorengehen? War es vielleicht gar nicht verlorengegangen, sondern nur verdrängt worden? Und wenn, von wem? Und warum?

Rosina durchschritt vor ihr eine weißgekalkte Halle mit Stablaternen in Eisenringen, geschnitzten Bänken, nachgedunkelten starren Familienporträts – oval und viereckig goldgerahmt. Dahinter befand sich ein langer, schmaler Saal. Auch hier dieselbe Don-Carlos-Dekoration mit einem massiven Eßtisch, ungefähr acht Meter lang, von steifen Stühlen umzäumt.

An seinem südlichen Kopfende hing ein dicklicher Knabe im Pyjama zwischen aufgestützten Ellbogen und mampfte. Seine Haare waren noch so, wie der Nachtschlaf sie frisiert hatte. Bei ihrem Eintritt sah er auf und kaute nicht weiter.

»Pepe?«

»*Rieke!*«

Sein Stuhl fiel um und brach sich beinah das steife, geschnitzte Kreuz.

Was für eine Umarmung! Pepe hielt sich an Rieke fest, als ob er sie dringend nötig hätte.

Hatte er auch.

»Seit wann –? Warum hast du nicht telegrafiert? Wir wollten dich abholen – mit ganz großem Bahnhof!«

»Ich habe ein Telegramm geschickt. Schon vor fünf Tagen!«

»Ich bin so froh, daß du da bist!« Die Gefühle klangen ab. Der Gastgeber setzte ein. »Bitte, nimm Platz. Möchtest du frühstücken?« Er hob massive Silberdeckel von schwarzen Bohnen, pochierten Eiern in Chilisoße und Fladen, die an zähe Pfannkuchen erinnerten.

Hatte er »Frühstücken« gesagt?

»Nein, danke, ich hab' schon im Flieger«, lehnte sie ab.

»Aber Kaffee! Und Obst? – Rosina!«

Das Mädchen war nicht mehr da.

Pepe erhob eine silberne Tischglocke und beutelte sie mehrmals ungeduldig. Sie klang so ähnlich wie die Bimmel des Grunewalder Kartoffelhändlers, nur eben zierlicher und viel, viel silberner.

Nach einer Weile erschien ein anderes Hausmädchen. Das hieß Maria.

Pepes Orders rollten auf scharfen Rrrrrs frontal gegen ihre Brust. Sie hörte muffelnd zu.

»Eine blöde Ziege«, sagte er, als sie gegangen war. »Seitdem sie weiß, daß sie in der Fabrik mehr verdienen kann als im Haushalt, nimmt sie mich nicht mehr ernst.«

»Ich habe übrigens schon deine Mutter kennengelernt«, erzählte Rieke.

»Ah, ja – was hat sie gesagt?«

»Sie hatte offenbar keine Ahnung von eurer Einladung. Ich kam mir wie ein Eindringling vor.« Das war Pepe unangenehm. »Weißt du, Mamita hat zur Zeit viele Aufregungen – sie kann einem wirklich leid tun.«

»Sie hat mir auf den Bauch geschaut«, sagte Rieke.

»So? Hat sie? Das machen ihre Nerven. Du darfst ihr das nicht übelnehmen.«

»Nein, nein, nur – warum hast du ihr von meinem Kommen nichts erzählt?«

»Weil sie alles so aufregt. Sie wittert bei jedem Mädchen eine Tragödie . . . Bob meinte auch, es wäre besser, wir erzählten ihr erst von dir, wenn dein Telegramm kommen würde . . .«

»Das heißt, ihr habt mich eingeladen, ohne eure Eltern zu fragen, ob es ihnen recht ist.«

»Ach, weißt du, Rieke, bei einem so großen Haus und so vielen Gästen . . .«

». . . spielt eine mehr keine Rolle«, vollendete sie ärgerlich. »Ich ziehe morgen ins Hotel.«

»Gottes willen!« erschrak Pepe. »Mach bloß keinen Terror. Du mußt hierbleiben. Das ist ja gerade der Witz! Deine Gegenwart entspannt die Lage. Vor einer Fremden reißt sie sich wenigstens zusammen.«

Rieke dämmerte zum ersten Male, weshalb Pepe sie so eilig nach Mexiko eingeladen hatte: erstens, weil er sie gern hatte und wiedersehen wollte; aber zweitens und vor allem, weil er sie als neutrale Pufferzone zwischen sich und seine Eltern zu schieben gedachte. Denn in diesem Hause gab es offenbar schwerwiegende Probleme, von denen Rieke nichts ahnte.

»Wo ist Bob?« fragte sie.

»In Monterrey oben. Pausenlos auf Geschäftsreisen für meinen Vater. Aber morgen kommt er wieder.«

Maria servierte frischen Kaffee und Früchte. Mit ihr stürmten die Chihuahuas in den Speisesaal. Ihr Gekläffe traf hier auf besonders gute Akustik.

Pepe verdrehte entnervt die Augen. »So geht das den ganzen Tag. Bob würde sie am liebsten über die Mauer schmeißen und dafür ein paar Herrenlose adoptieren. Er meint, die wären im kleinen Zeh intelligenter als unsere Luxuskläffer. Aber das tut er Mama natürlich nicht an. Straßenköter in diesem Hause, das wäre für sie beinahe dasselbe, als wenn die Roten bei uns einbrächen und auf ihre Seidensofas hopsten. – Wie geht es übrigens Plumpsack?«

»Danke. Er läßt grüßen.«

»Du mußt Limonensaft auf die Papayas träufeln.

Warte –« er wollte es selbst tun, aber Rieke hielt seine Hand fest.

»Was ist hier los?«

»Ja, weißt du – eigentlich wollte ich es dir schon am Telefon erzählen, aber du hast ja kein Telefon. Und dann wollte ich es dir schreiben, aber . . . und dann habe ich mir gedacht, Rieke erfährt es ja sowieso, wenn sie kommt.« Er suchte in seinen Bademanteltaschen nach Zigaretten und Feuerzeug. »Für meine Mutter ist es eine Katastrophe!« und machte ein paar tiefe Lungenzüge. »Eine Tragödie! Stell dir vor, sie ist Großmutter geworden. Mit 37 Jahren Großmutter. Die Ärmste!«

Sie tat ihm wirklich herzlich leid.

»Großmutter – von wem?«

»Von einem Mädchen.«

»Ich meine – wessen Kind? Bobs?«

»Bobs?« Pepe hatte plötzlich eine gockelhafte Überlegenheit in der Stimme, als ob er seinem Halbbruder so etwas niemals zutrauen würde. »Der hat damit gar nichts zu tun. *Ich* bin der Vater.«

Sie starrte ihn an. Sein rundes, gefälliges Muttersöhnchengesicht mit den Pubertätspickeln. Fünfzehn Jahre. Er mußte sich höchstens alle Woche einmal rasieren.

Es war zuviel für Rieke.

Sie platzte los. Entschuldigte sich sofort bei Pepe

dafür. Lachte dennoch weiter. War aufgestanden, ging durch den Speisesaal. Mußte sich auf eine alt-spanische Truhe setzen. Ein heiliger Georg geriet dabei ins Wackeln.

Pepe verfolgte ihren Heiterkeitsausbruch mit er-zwungenem Lächeln.

»Weißt du, so saukomisch ist das gar nicht für uns«, sagte er schließlich.

»Tut mir leid«, bedauerte sie aufrichtig und biß sich fest in die Backentaschen, das verminderte den Lachreiz. »Ich wollte dich nicht kränken, bestimmt nicht.«

»Ich möchte dich auch bitten, vor meinen Eltern ernst zu bleiben. Ihnen fehlt so völlig der Humor in dieser Angelegenheit.«

»Das kann ich mir denken.« Rieke nahm seinen Kopf zwischen ihre Hände und gab ihm einen Kuß. »Väterchen!« Und konnte es nicht fassen. »Es ist also ein Mädchen! Erzähle! Wann ist es ge-boren?«

»Vor sieben Tagen. Morgens um zwei Uhr fünf-undfünfzig.« Und vorwurfsvoll: »Ich habe ge-hofft, du kämst rechtzeitig. Wir hätten dich so ge-braucht!«

»Aber wieso gerade mich?«

»Na, was glaubst du, was hier los war! Krieg du mal mit Fünfzehn ein Kind! In Mexiko! In unseren Kreisen! Meine Mutter allein hätte es ja noch verkraftet. So wie ich sie kenne, hätte sie gleichzeitig gejammert und Babysachen gehäkelt. Aber ihre Schwestern! Und ihre Freundinnen –! Die haben sie völlig fertiggemacht!«

»Wann hast du es ihr gesagt?«

»Drei Tage vor der Geburt.«

»Oh – schon so bald!«

Pepe überhörte die Ironie. »Ich erspare ihr Unannehmlichkeiten, solange es geht.« Ein rücksichtsvoller Sohn. »Wenn du dagewesen wärst, Rieke – du denkst praktisch und modern. Du hast keine Vorurteile. Ich habe mir so viel von deinem Kommen versprochen! Auch für Malinche. Sie hatte ja praktisch niemand außer mir.«

Zum ersten Mal sprach Pepe nicht von seiner Mutter, sondern von seinem Mädchen.

»Wie alt ist sie? Auch fünfzehn?«

»Nein, schon sechzehn. – Es war übrigens eine leichte Geburt.«

Rosina erschien in der Tür und richtete Pepe eine längere Botschaft aus.

»Dein Zimmer ist gerichtet. Außerdem läßt Mamita anfragen, ob wir sie zum Einkaufen begleiten wollen«, übersetzte er. »Magst du?«

Die Gästezimmer und Bobs Apartment gingen auf einen Innenhof mit Springbrunnen, Vogelvolieren und phantastischen, künstlichen Blumenarrangements.

Eine Steintreppe wendelte zum ersten Stock hinauf und endete in einer Galerie, von der aus die Schlaf- und Ankleidezimmer der übrigen Taschners zu erreichen waren.

Rieke war hingerissen von der architektonischen Schönheit des Hauses.

Ihr Zimmer hatte ein altes Pfostenbett mit handgewebten Decken und Gardinen. Es war ein großer Raum – edel und klamm.

Rieke suchte ihre Koffer, aber sie waren bereits ausgeräumt. Ihre spärlichen Fummel baumelten hoch oben in einem Schrank, in dem sie bequem zehn Liebhaber auf einmal hätte verstecken können.

Im angrenzenden Bad paradierten ihre sechseinhalb Kosmetika, selbst die Zahnbürste lugte bereits über den Rand eines Glases. Und all das war durch das Gebimmel einer silbernen Tischglocke, lässig aus dem Handgelenk geschüttelt, veranlaßt worden.

Einfach phantastisch!

Sie beschloß, für Sixten solch Glöckchen in einfacher Ausgabe zu besorgen. Das war endlich einmal ein sinnvolles Mitbringsel.

Heftiger Gewitterregen prasselte in den Innenhof. Sein Geräusch mußte Frau Taschners Schritte übertönt haben, denn sie stand plötzlich in der geöffneten Tür und lächelte müde.

»Sind Sie mit Ihrem Zimmer zufrieden, Fräulein Birkow? Haben die Mädchen auch nichts vergessen?«

Rieke überlegte, ob es wohl unhöflich war, wenn sie die Hausfrau sofort von der Verstopfung ihres Klos in Kenntnis setzte. (Kaum angekommen und schon Beanstandungen!)

»Ich fahre jetzt zum Markt«, sagte die Señora. »Wenn Sie Lust haben –?«

Pepe wartete bereits im Auto auf sie. Er machte Rieke heimlich Zeichen, daß er ihr dringend etwas erzählen müsse, aber nicht, solange sich seine Mutter in Hörweite befand. Frau Taschner fuhr ihren Wagen selbst.

Es war, als ob sie einen Paradiesgarten verließen, den die hohen, grauen Mauern schützend in ihre Arme genommen hatten.

Auf der Straße spielten zerlumpte Halbwüchsige Fußball mit einer Blechdose. Zwei puschlige junge Hunde balgten sich um eine Wäschesammlerin, die mit ihren riesigen, weißen Bündeln auf dem Pflaster ausruhte.

»Soviel Reichtum und dazwischen diese Armut«, sagte Rieke.

»Ach, weißt du, daran gewöhnt man sich«, sagte Pepe.

»Gewöhnen?« fragte sie ungläubig.

»Die Slums in unserer Gegend sind nicht unsere Schuld«, erklärte Frau Taschner. »Was glauben Sie, was denen schon geboten worden ist, damit sie hier fortziehen. Sozialwohnungen. Grundstücke am Standrand. Aber nein, sie wollen unbedingt hier bleiben und blockieren damit unseren teuersten Baugrund. – Daran sehen Sie, Fräulein Birkow, wie viele Rechte der einzelne bei uns hat.« Und als Rieke nicht gleich antwortete, fragte sie mit einem kurzen, prüfenden Seitenblick: »Sind Sie Sozialistin?«

Von Pepe kam ein mahnender Buff.

Rieke sagte: »Man kann doch gar nicht anders als sozial denken.«

»Oh, das tun wir auch«, versicherte Frau Taschner. »Die Wohlhabenden des Landes tun mehr für die Armen als der Staat es je vermag. Ihm fehlen einfach die Mittel dazu. Keine Regierung – ob rechts oder links – kann auf unsere privaten Wohltaten verzichten. Aber –«, sie hatte eine dichtbefahrene Hauptstraße erreicht und schob ihren Wagen wie einen Keil in den breiten Strom der Autofahrer, mit stoischer Ruhe ihr Hupkonzert überhörend. »Wenn die Regierung weiter versucht, unsere Rechte zu beschneiden und uns zu enteignen, dann werden wir nicht länger in Mexiko investieren, sondern unsere Gelder ins Ausland bringen.«

Frau Taschner hatte den Verkehr zum Erliegen gebracht, aber dennoch ohne Beule die gegenüberliegende Fahrbahn der Hauptstraße erreicht. Das einzige, was bei diesem Manöver zu Schaden gekommen war, waren Riekes Nerven.

»Und ich frage Sie – was wird dann aus Mexiko?«

Vor der Markthalle gab es weit und breit keine Parkmöglichkeit. Pepe winkte einen jungen Mann heran und übergab ihm die Autoschlüssel. Sie stiegen aus, er stieg ein und fuhr mit ihrem Wagen davon.

»Kennst du den?« erkundigte sich Rieke.

»Nein. Wir wissen nur, daß er Jesus heißt.«

»Und das genügt bei 14 Millionen Einwohnern?«

»Ja.«

Sie stellte sich dieselbe Situation in ihrem Wohlstandsland vor. Oder gar in Italien.

Gotteswillennnnn!!!

Die Markthalle war wie eine Glocke, die ein Gewimmel von Stimmen und Gerüchen gefangenhielt – Blumen, Kräuter, Tierblut, Früchte, Fische, Gemüse, geröstete Schweinshaut, Innereien.

Halbwüchsige rannten hinter Frau Taschner her, sie wählte zwei von ihnen aus als Packeselchen für ihre Einkäufe.

Pepe zog Rieke beiseite und verkündete seine Alarmnachricht, die er bisher nicht an sie hatte weitergeben können:

»Heute abend kommt Malinches Vater zu uns. Er hat Mama angerufen.«

»Au Backe«, sagte Rieke erschrocken.

»Aber ich bin nicht da. Ich besuche Malinche in der Zeit.«

Nicht etwa, daß Pepe feige gewesen wäre. Er sah den Dingen schon ins Auge und das bereits seit Monaten – nur Malinches Vater sah er nicht gern hinein.

Er war Maler und während der letzten Monate nicht in der City gewesen, dank seiner Lehrtätigkeit an der Kunstschule von San Miguel de Allende und einigen Ausstellungen seiner Bilder in anderen lateinamerikanischen Ländern.

»Malinche hat ihm die Geburt schriftlich mitgeteilt. Gestern ist er angekommen.«

»Künstler haben meistens nicht so streng konservative Moralbegriffe wie das Bürgertum«, versuchte Rieke ihn zu trösten.

»Aber wenn es um die Ehre der Tochter geht?«

Pepe kannte seine Landsleute. Er rechnete mit dem Schlimmsten. Sogar damit, erschossen zu werden.

»Hör mal, ihr seid hier nicht in Sizilien!«

»Nein, aber in Mexiko!«

»Du wirst sie heiraten müssen!«

»Pschscht! Meine Mutter!«

»Würdest du sie heiraten?« flüsterte Rieke und starrte auf das Massenhängen geköpfter, gelbsüchtiger Hühner, von denen sich Frau Taschner jedes einzelne vorführen ließ, ehe sie vier auswählte.

»Natürlich«, flüsterte Pepe zurück. Eine Ehe mit Malinche erschien ihm in seiner Bredouille noch als das angenehmste Übel, denn es barg viele Vorteile in sich. Erstens einmal ein ständiges Zusammenleben mit seinem Mädchen, eine lustige Kinderehe mit ihrem Puppenkind, das sie Ester taufen wollten. Ester war Malinches Lieblingsname, so hatte schon eine ihrer Puppen geheißen und ihr Haubenkakadu. Zweitens konnte ihn dann niemand mehr in ein deutsches Internat schicken.

Malinches Ehre wäre gerettet und die Sorge, erschossen zu werden, aus der Welt geschafft. Beide würden auf eine Schule überwechseln, auf der man sie nicht kannte. Für das Baby sorgte während der Schulstunden Malinches Tante, bei der sie auch wohnte . . .

»Ich bin fertig, wir können fahren«, sagte Frau Taschner.

»Ja, Mamita.« Pepe dackelte folgsam hinter ihr und den Kindern, die ihre Einkäufe schleppten, auf die Straße hinaus.

Der junge Mann namens Jesus fuhr im selben Augenblick vor der Markthalle vor. Wie ihm das bei diesem totalen Verkehr rechtzeitig gelang, war sein Trick, und vom Trinkgeld für dieses Kunststück lebte seine Familie.

Auf der Heimfahrt bat Pepe seine Mutter, vor dem Supermarkt zu halten. Er stieg alleine aus und kam gleich darauf mit einem Jungen wieder, der mehrere Großpackungen von Schwedenwindeln schleppte.

Frau Taschner wollte bei ihrem Anblick in Ohnmacht fallen.

Rieke tat so, als ob ein Fünfzehnjähriger, der Windeln kaufte, das Selbstverständlichste von der Welt wäre.

»Um vier Uhr wird zu Mittag gegessen!« sagte die Señora zu Friederike, als sie vom Markt zurückkehrten. »Wenn Sie sich inzwischen ausruhen möchten . . .« Bei aller Liebenswürdigkeit war der Wunsch hörbar, Pepes Gast aus Deutschland möglichst rasch und langfristig aus dem Geschehen zu räumen.

Rieke wollte sich folgsam zurückziehen, aber er hielt sie mit schalldichter Stimme auf. »Wenn du Fotos von Malinche sehen möchtest, komm herauf. Die letzte Tür auf der Galerie.«

Es sah in seinem Zimmer genauso aus wie in den Zimmern europäischer Fünfzehnjähriger – an den Wänden Poster von veitstanzenden Popsängern, auf dem Fußboden Platten, Kassetten, Recorder, Schnüre und Kabel zum Stolpern und eine unheilbare Unordnung überall.

In einem Bord klemmten kreuzlahm zwei abgenutzte Plüschtiere aus seiner Kinderzeit, die ja noch nicht lange zurücklag.

Er sagte: »Am besten, wir gehen in mein Schlafzimmer, da ist mehr Platz.«

»Magst du was trinken? Vielleicht Cola mit Rum?«

Eis und Cola holte er aus einer Box, den Rum etwas umständlicher hinter den Sockenbergen aus seinem Kleiderschrank. Er durfte ja noch keinen Alkohol trinken.

»Du wolltest mir Fotos von Malinche zeigen.«

Aber zuvor zeigte er ihr die vielen kleinen, präkolumbianischen Figürchen auf seinem Wandbord – Tänzer, Schwätzer, Bettler, Wasserträger, Fresser, Säufer, Tortillabäckerinnen, Gebärende, Lachende, Leidende und immer wieder Mütter mit ihren Babys . . .

»Die sind nicht aus dem anthropologischen Museum geklaut, die hat Malinche nachgebildet«, sagte Pepe stolz. »Sie macht auch tolle Papierschnitte, aber nur zum Spaß. Sie möchte Ärztin werden.«

Er ging auf die Suche nach dem Umschlag mit Malinches Fotos. Nachdem seine Mutter einmal einen Satz Bilder gefunden und zerrissen hatte, versteckte er sie jeden Tag woanders, ohne sich jedoch zu merken, wo. Deshalb mußte er jedesmal all seine Verstecke abtasten und durchwühlen, wobei er einmal auf dem Stuhl und einmal auf dem Kopf stand.

»Seit wann weiß es Bob?«

»Seit München. Ich hab's ihm kurz vor der Heimreise erzählt.«

»Na und?«

»Er hat geflucht, weil wir uns nicht sofort an ihn gewandt haben. Ehrlich gestanden, ich bin gar nicht auf die Idee gekommen. Wo er doch nie da ist. Aber wenigstens hat er es jetzt den Eltern beigebracht.«

»Du hast dich wohl nicht getraut?« lächelte Rieke.

Einen Augenblick lang sah er sie sehr ernst an. »Wenn du wüßtest, was ich mich alles getraut habe! Ich war bei so vielen Ärzten mit Malinche. Die einen haben uns rausgeworfen, die anderen haben uns väterlich auf die Schulter geklopft und weise Ratschläge gegeben. Wir sollten nur ja keine Dummheiten machen, nicht zu einem Kurpfuscher gehen und nie vergessen, sähe die Welt im Augenblick auch noch so düster aus – eines Tages würde sie doch wieder hell und schön. Andere haben uns geraten, zu beten. Geduzt haben uns alle. Geholfen hat keiner.«

Rieke stellte sich die beiden Kinder in den Wartezimmern der Ärzte vor, jedesmal ein Gang nach Canossa, neue Angst, neue Hoffnung, den Alptraum loszuwerden, die peinliche Beichte, die Untersuchung, die feuchten Hände, die Knödel im Hals – die neue Enttäuschung. Malinches verzweifeltes Weinen.

Schließlich war es zu spät.

»Die Eltern hätten uns auch nicht helfen können, wenn wir es ihnen gesagt hätten. Da haben wir es lieber verschwiegen, solange es ging. Nur der Tante von Malinche, bei der sie lebt – sie hat ja keine Mutter mehr –, der mußten wir es sagen. Sie wollte sich vom Torre Latino-Americana stürzen, weil sie doch die Verantwortung für Malinche hat. Wir haben es ihr aber ausgeredet. Wenigstens hat sie einen Arzt dazu gekriegt, daß er Malinche für die letzten zweieinhalb Monate wegen einer Gelbsucht krank schrieb. So hat es keiner in unserer Schule erfahren.«

Pepe fand die Fotos in einer Schuhhülle in einem Karton, in dem er seine ehemalige elektrische Rennbahn aufbewahrte.

Rieke war sehr gespannt. Was war das für ein Mädchen, ein offenbar intelligentes, künstlerisch begabtes, das einmal Ärztin werden wollte, das sich mit einem fünfzehnjährigen Klassenkameraden eingelassen hatte?

Malinche sah mit ihren hochangesetzten Wangenknochen, der kaum vorspringenden, leicht gebogenen Nase und den vollen, geraden Lippen wie ein Indiomädchen aus. Ihr Lachen war bezaubernd natürlich.

Ein Kind in einem baumwollenen Kinderkleid, das ein Kind hatte austragen müssen, hilflos getröstet von einem anderen Kind, das gegen acht Uhr abends nach Hause ging, um dort in die Rolle des sorglosen Muttersöhnchens zu schlüpfen. Und das über Monate!

»Ich möchte sie kennenlernen«, sagte Rieke und gab die Fotos zurück.

»Sobald ihr Vater wieder fort ist«, sagte Pepe.

Auf einmal setzte die Müdigkeit ein. Seit gestern früh um fünf hatte sie nicht mehr geschlafen und in der Nacht davor auch nicht.

Pepe brachte sie zu ihrem Zimmer.

»Haben deine Eltern Malinche im Krankenhaus besucht?« fragte sie.

Diese Frage verblüffte Pepe. »Nein, natürlich nicht.«

»Haben sie überhaupt nicht auf die Geburt reagiert?«

»Doch, natürlich! Mama jammert um meine verpfuschte Zukunft und Papa schimpft, weil er mich nicht schon vor einem Jahr ins Internat geschickt hat.«

»Und Bob?« fragte sie noch.

»War nur einen Tag hier, er konnte Malinche nicht besuchen. Aber er hat ihr Blumen geschickt und einen alten mexikanischen Glückstaler. Er hat ihr auch einen Brief geschrieben. Er hat zwar aus Versehen bloß das Konzept dazu in den Umschlag gesteckt, aber das war schon sehr nett.«

Als Friederike erwachte, war es finster um sie bis auf ein paar helle Ritzen in den Jalousietüren zum Hof. Sie tastete vergebens die Lampe an ihrem Bett nach einem Knipser ab, stand darum auf und ging den hellen Ritzen nach, stieß die Türen auseinander und stand im nächtlichen, von Stablaternen mit bleichen Lichtern und bizarren, lebendigen Schatten überspielten Innenhof.

Stand einem korrekt gekleideten, etwa sechzigjährigen Herrn gegenüber, der sich auf dem Weg zur Treppe befand. Er ruckte leicht verwundert an seiner Brille.

»Pardon –?«

Es handelte sich bei ihm um einen durch und durch drögen Typ mit feinem Knitternetz über der gelblichen Haut. Bevor er ein Dörrpflaumen-Herr geworden war, mochte er ein gutaussehender Mann gewesen sein.

Rieke fuhr sich mit dem Fingerkamm durch die Haare.

Beide nickten sich zu wie Zirkuspferde.

»Taschner.«

»Friederike Birkow. Aus Berlin.«

»Ach, Berlin –?« ein flüchtiges Lächeln. Plötzlich schimmerte eine Ähnlichkeit durch das Geknitter – die Ähnlichkeit einer Ähnlichkeit mit Bob Taschner.

»Ich begrüße Sie, Fräulein Birkow.«

»Mein Telegramm ging verloren«, stotterte Rieke, die begriff, daß weder Frau Taschner noch Pepe den alten Taschner von ihrer Ankunft unterrichtet hatten.

Sie fühlte sich somit immer heimischer in diesem Hause.

»Meine Frau hat sich leider schon zurückgezogen, auch das Personal, aber mein Sohn . . .«

»Ja, den . . .«, sagte Rieke erleichtert. »Wo?«

»Er sieht Television.« Herr Taschner betrachtete Rieke diskret, Rieke betrachtete sich auch diskret abwärts und hielt es für angemessen, ihren Bademantel anzuziehen und Sandalen an die Füße. Außerdem war es empfindlich kühl in dieser Nacht. Herr Taschner brachte sie in den Wohntrakt hinüber, aus dem es hell flimmerte und Schüsse knallten. Pepe sah einen Western.

»Vielleicht kümmerst du dich um Fräulein Birkow. Ich nehme an, Mama hat ein Abendessen für sie herrichten lassen.«

»Sofort –« Pepe klebte mit einem letzten, langen Blick am Bildschirm. »Du hast aber lange geschlafen, Rieke. Wir haben versucht, dich zum Mittagessen zu wecken, zum Abendessen – es war hoffnungslos.«

»Pepe!« mahnte sein Vater ungehalten.

Sofort stellte er den Kasten ab. Herr Taschner verabschiedete sich.

Rieke sah ihm nach.

»Jetzt kennst du auch meinen Papa«, sagte Pepe. »Es ist unwahrscheinlich, nicht wahr, wenn man dagegen meine Mutter sieht . . .«

Mehr sagte er nicht, aber Rieke dachte seine Gedanken zu Ende: was hatte ein junges, schönes, reiches Mädchen einmal an diesem trockenen Witwer mit zwei Kindern gefunden, der fast dreißig Jahre älter war als sie und als Geschäftsführer einer deutschen Maschinenbaufirma ein gutes Auskommen, aber kein Vermögen hatte?

Unbegreifliche Verbindungen im pubertären Alter schienen in Pepes Familie öfter vorzukommen.

Rieke ging gleich mit in die Küche – einen Saal mit alten und neuen Herden und blankgescheuerten Kupferpfannen an den Wänden aufgereiht. Pepe räumte aus Kühlschränken und Vorratsräumen genug auf den Tisch, um mehrere hungrige Landarbeiter innerlich auszustopfen. Er wollte gerade in die Vollen steigen, als ihn Riekes Frage »Jetzt erzähl mal! Wie war's?« auf halbem Wege dabei unterbrach. »War's schlimm mit ihrem Vater?« Pepe legte das Messer wieder hin. »Ja und nein. Auf alle Fälle war's ganz anders, als meine Eltern erwartet hatten. Mamita hatte sicherheitshalber ihre Anwälte hinzugezogen für den Fall, daß Malinches Vater unverschämte Forderungen stellen könnte. Man weiß ja nie bei diesen linken Bohemiens.«

»Hat sie ihn auch nach Waffen untersuchen lassen?« rutschte es aus Rieke heraus.

»Nein, das nicht«, sagte Pepe, »sie haben ihm unerhört noble Angebote für Malinche und das Kind gemacht. Sie wollten sogar das Baby adoptieren, stell dir vor, damit es den Namen seines Vaters trägt. Sie waren wirklich zu allem bereit, unter einer Bedingung – meine Zukunft dürfe auf keinen Fall beeinträchtigt werden.«

»Auf deutsch: heiraten kommt nicht in Frage.«

»Ja.« Pepe goß seufzend Sahne und Chilisoße auf ein paar Tacos. Und kaute: »Leider –«

»Friß nicht so viel! Erzähle! Wie hat ihr Vater reagiert?«

»Unmöglich, einfach unmöglich. Er muß sich aufgespielt haben wie Moctezuma persönlich. Der Kerl leidet unter Rassenwahn.«

»Was ist er denn?«

»Mehr Indio als sonst was bei einer französischen Großmutter. Stell dir vor, es hat ihn weniger empört, daß seine Tochter ein uneheliches Baby hat, als von wem sie es hat. In seinen Augen bin ich von Mamas Seite aus ein spanischstämmiger Ausbeuter Mexikos und von väterlicher ein Europäer. Beide existieren für ihn nur als zahlungskräftige Käufer seiner Bilder. Stell dir so etwas vor!«

»Deine Fresserei macht mich ganz nervös«, stöhnte Rieke.

»Dann iß selbst was«, sagte Pepe und schob ihr eine Platte zu mit den bläulichen Resten des Schimmelpilzes, der sich an Maiskolben bildet und eine Delikatesse bedeutet. Es hatte ihn zum Dinner als Vorspeise gegeben.

»Probier es wenigstens einmal!« drängte er sie, und Rieke ahnte: jetzt rächt er sich dafür, daß er Harzer Käse auf Gänseschmalz und Eisbein mit Erbsenpüree hat essen müssen.

Er schob ihr mehrere braune Holzschüsseln zu. Sie enthielten rohen, marinierten Fisch und winzige, weiße, tote Fische, die wie Spulwürmer aussahen. Das sollten Aale sein.

»Jetzt erzähl endlich: wie ist es denn ausgegangen?«

»Malinches Vater hat Mamitas großzügige Angebote mit einer Arroganz zertreten, als ob es Cucarrachas wären. Du glaubst es nicht: er verzichtet auf jegliche Unterstützung für sie und das Baby!«

Pepe sah Rieke erwartungsvoll an, und das mit leerem Mund.

Sie wußte nicht, was sie sagen sollte außer: »Was Besseres kann deinen Eltern doch gar nicht passieren!«

»Das denkst du. Jetzt kommt es nämlich! Er verlangt, daß sie statt dessen irgendwo auf dem Lande in Oaxaca – ich habe das Nest vergessen – eine Schule errichten und einen Lehrer und die Lehrmittel finanzieren sollen, und das so lange, bis Ester volljährig ist! Wie findest du das?«

»Na prima.«

»Das hat meine Mama im ersten Moment auch gedacht und seinem Vorschlag zugestimmt – gegen den Rat ihrer Anwälte. Ich glaube, um meine Zukunft zu retten, wäre sie bereit gewesen, eine Pyramide zu finanzieren. Sie ist wunderbar, aber viel zu emotionell – leider.« Er suchte seine Taschen nach Zigaretten ab, fand nur ein leeres Päckchen, aber er wußte, in welchem Küchentopf Maria die langen Kippen für ihren Bruder aufbewahrte.

Er suchte sich die beste aus.

»Und das ist noch nicht alles«, sagte er, »dieser Sohn einer Hündin verbietet mir jeden weiteren Kontakt mit Malinche. Ich darf sie nie mehr treffen, Rieke, stell dir das vor! Wenn ich wenigstens schon volljährig wäre!!!«

Sie betrachtete ihn voller Mitgefühl. Er war nicht nur nicht volljährig, er hatte noch nicht einmal die mittlere Reife. Das Schlimme ist, daß man in einem Alter Kinder kriegen kann, in dem man noch nicht die Verantwortung für sie tragen darf.«

»Weißt du, ich hab sie so gern. Erst war das gar nicht so. Bei ihr auch nicht. Wir mußten ein Referat in Biologie zusammen ausarbeiten. Dadurch ging ich öfter zu ihr. Ich glaube, sie war viel allein. Sie fand es schön, daß sie mit mir diskutieren konnte.

Wir haben uns wahnsinnig gestritten – über alles
– vor allem sozialpolitisch. Wir haben uns einmal
so sehr gezankt, daß wir eine Woche nicht miteinander gesprochen haben. Das war die Woche, wo
sie das mit dem Baby gemerkt hat. Da ging das
dann mit der Sorge los – aber auch das richtige
Liebhaben. Komisch . . . bei andern Männern ist
das meistens umgekehrt, nicht wahr?«
Er zerdrückte die Kippe von der Kippe auf seinem
Teller.
»Hast du Malinche heute nachmittag gesehen?«
fragte Rieke.
»Nein. Ich kam ins Krankenhaus, und sie waren
nicht mehr da. Ihr Vater hat sie heute früh abgeholt. Ich habe sie auch nicht am Telefon erreicht.
Ich könnte ihren Vater umbringen! Und meinen
dazu!« Er hieb schon wieder auf den Tisch. »Alles
so ein Wahnsinn! Wenn ich mir vorstelle, ich soll
in drei Wochen ins Scheißinternat. Für Jahre! Bis
zum Abitur!!«

Als sie die Speisereste abräumten, läutete das Telefon in der angrenzenden Anrichte.
Rieke hätte nie gedacht, daß der zur Bequemlich-

keit neigende, Bequemlichkeit sichtbar ansetzende Pepe so wieselschnell laufen konnte. Er hatte den Hörer ergriffen, ehe ein anderer im Haus abnehmen konnte. Rieke vernahm eine schrille, weinende Stimme im Telefon, bemerkte, wie Pepes Gesicht sich sichtbar rötete.

»Si – si – si –«, war alles, was er an Worten zwischen das Schluchzen setzen konnte.

Nun redete er, schnell und beschwörend. Dann knackte es in der Leitung. Er sah den Hörer an, rief noch ein paarmal »Chica – Chiquita –! Chiquita!!« (Hieß nicht so eine Bananensorte? erinnerte sich Rieke bei aller Erregung.)

Pepe hängte ein und bekam einen Tobsuchtsanfall.

»Dieser gottverfluchte Hurensohn!« schrie er. »Entführt mir mein Mädchen und mein Baby! Morgen früh fährt er mit ihr fort. Malinche darf mir nicht einmal Adios sagen . . . Nicht einmal zu Ende hat er sie telefonieren lassen. Dieser . . .« Es zog eine Prozession mexikanischer Flüche an Riekes Ohr vorüber.

Tränen rannen dabei über sein Gesicht.

Sie wartete, bis er sich ausgetobt hatte, dann nahm sie ihn in ihre Arme.

Wer weiß, ob er je wieder in seinem Leben so sehr um ein Mädchen weinen würde –.

Am nächsten Morgen frühstückte Friederike mit Herrn und Frau Taschner. Sie hatte dabei den Eindruck, im Theater aus Versehen die falsche Tür geöffnet und statt ins Parkett auf die Bühne geraten zu sein als Eindringling in eine ebenso wohlerzogene wie bitterböse Ehekomödie. Die beiden wechselten kein Wort und keinen Blick – sie spielten eine Pantomime mit Nebengeräuschen.

Da war Herr Taschner, der nach Vorschrift seinen Leinsamen einspeichelte, mit Spinnenfingern bunte Pillen aus einer Silbermuschel fummelte, nacheinander verschluckte und mit lauwarmem Kamillentee nachspülte. Dieses Schlucken war sehr hörbar. Seine junge, schöne, plumpe Frau mußte es jeden Morgen von neuem ertragen. Sie wiederum, im satinglänzenden Morgenrock mit weiten, hinderlichen Ärmeln, weil einstipp-freudig, bestrich eine Scheibe Toast nach der anderen mit Butter und Wurst, schnitt sie in exakte kleine Würfel und fütterte damit ihre rechts und links von ihrem Stuhl hochstehenden Hündchen. Jeden Bissen begleitete sie dabei mit Ermahnungen und Koseworten. Das wiederum mußte der alte Taschner jeden Morgen über sich ergehen lassen.

Rieke hatte solchen Hunger, aber sie traute sich nicht zu essen, aus Sorge vor zusätzlichen Geräuschen in dieser geräuschvollen Sprachlosigkeit.

Nachdem die Hündchen satt waren, trieben sie es miteinander.

Frau Taschner schien das vor lauter Gewöhnung nicht mehr zu stören.

Sie brachte ihren Mann zum Wagen und kehrte heiter, sichtbar erlöst von seiner Gegenwart und der schicksalsschweren Sorge um Pepes Zukunft, an den Eßtisch zurück.

So geriet Friederike völlig unverhofft in den strahlenden Schein ihrer Liebenswürdigkeit, fühlte sich erwärmt – zum ersten Mal in diesem Hause.

»Haben Sie schon ein Programm für heute, Federicia? Nein? Wollen Sie mich begleiten? Ich zeige Ihnen ein bißchen von der Stadt. Inzwischen wird Pepe aufgestanden sein. Dann können Sie mit ihm zum Flughafen fahren und Bobbo abholen. Weiß er schon, daß Sie hier sind? Nein? Dann wird er sicher Augen machen!«

Sicher, dachte Rieke, es fragt sich nur, was für welche!

Nach einstündigem Sightseeing landeten sie bei der kreisrunden Pyramide von Cuicuilco.

Aus einem Rieke unerklärlichen Grunde bestand

Frau Taschner auf der Besteigung des rampenförmig angelegten Steingebildes.

Das konnte nicht gutgehen mit ihrem dünnen, hochhackigen Schuhwerk.

Rieke nahm ihr zuerst die Handtasche ab, dann zog sie an ihrem Arm, dann blieb sie zurück und stemmte den Rücken der Señora aufwärts. Dann rutschten beide gleichzeitig auf den historischen Klamotten aus. Dann waren sie endlich oben.

»Wir – be-hh-finden — auf dem — angeblich äl-h-testen Bauwerk – hch – des – amerikanischen Kontinents«, keuchte Frau Taschner.

Rieke horchte in sich hinein, erwartete zumindest Ergriffenheit vor solcher Historie – empfand aber nichts. Schämte sich dieserhalb gebührend.

Es war schon ein Armutszeugnis für eine studierte Kunsthistorikerin mit dem Berufsziel Restauratorin. Aber Monumentalbauten der Vorzeit vermochten in ihr nie mehr zu erregen als ein unendliches, nachträgliches Mitleid mit den Menschen und Lasttieren, die sie hatten errichten müssen. Außerdem wollte sie einmal keine Pyramiden restaurieren, sondern Gebrauchsgegenstände aus den letzten Jahrhunderten.

Sie stand neben der Señora, von heißem Wind umweht. Der dichte Smog schluckte die Fernsicht.

Ein mit kleinen, blaßfarbenen Würfeln dicht besiedeltes Stadtgebiet fiel ihr auf. »Was ist das?«

»Ein Slum«, Frau Taschner ruckte an ihrem Mieder, das sich beim Aufstieg verschoben hatte. »Sie haben da nicht einmal Wasser. Zur Olympiade sollte er abgerissen werden, aber seine Bewohner haben sich gewehrt. Man ist dann zu einem Kompromiß gekommen. Sie mußten ihre Hütten bunt anstreichen und durften bleiben.« Sie sah auf die Uhr. »Wir müssen zurück. Bitte, halten Sie mich, Federicia.«

Der Abstieg fand zum Teil auf beider Hinterteilen statt.

Das war Riekes Erlebnis mit dem angeblich ältesten Bauwerk des amerikanischen Kontinents.

Anschließend fuhren sie in die Zona Rosa, dem Viertel der Banken, Juweliere, Boutiquen und teuren Restaurants.

Während Frau Taschner ihren Modesalon aufsuchte, machte Rieke einen Schaufensterbummel. Sie kam nicht weit. Gegenüber einem Schuhladen lag eine junge Indiofrau neben dem Umschlagtuch, das ihren Säugling einhüllte, auf dem Straßenpflaster. Sie war beim Betteln eingeschlafen.

Sie hatte ein rotes Kleid mit kurzen Ärmeln an und schlanke, braune Arme. Ihr Profil mit den hochangesetzten Wangenknochen und halb geöffneten Lippen war flach. Ein unendlich geduldiges Gesicht und dafür viel zu jung. Es erinnerte Rieke an

Malinche. Sie kramte alle Pesos, die sie in ihrer Tasche fand, zusammen und legte sie in den Rebozo, das Umschlagtuch, damit ein anderer Bettler es ihr nicht stehlen konnte, solange sie schlief.

Als sie sich aufrichtete, stand Frau Taschner hinter ihr. »Wenn Sie so weitermachen, werden Sie in wenigen Tagen Ihr Geld los sein, Federicia.« Und als sie zum Parkplatz zurückgingen, sagte sie: »Die junge Frau kommt aus den Bergen. Jeden Tag kommen ganze Familien aus den Bergen in die Stadt. Oben würden sie verhungern. Hier brauchen sie nur zu hungern. Es ist das kleinere Übel.«

Rieke konnte die junge Bäuerin trotzdem nicht vergessen. Frau Taschner spürte das und sagte leicht gereizt: »Warum sehen Sie hier nur immer das Elend und nicht die Fortschritte, Federicia?«

»Ich weiß nicht, es tut mir leid. Vielleicht liegt es daran, daß ich an Fortschritte mehr gewöhnt bin...«, eine Entschuldigung, die Frau Taschner nicht überzeugte. Rieke übrigens auch nicht.

Bei ihrer Rückkehr parkten amerikanische Straßenschiffe vor dem Taschnerschen Anwesen.

Zwei Schwestern der Señora waren mit ihren Männern, zahlreichem Nachwuchs, Großeltern, Kindermädchen und ihren eigenen augenblicklichen Hausgästen eingetroffen und warteten auf den gemeinsamen Start nach Cuernavaca, wo sie jedes Wochenende gemeinsam zu verbringen pflegten. Isabellas Familie besaß dort ein großes Haus. Rieke sollte auch mitkommen.

Rieke zählte die anwesenden Häupter: zwölf Erwachsene, darunter ein Opa, der ausriß, sobald man ihn einen Augenblick unbeobachtet ließ, vier Kinder über zehn Jahre und vier darunter, plus drei Hündchen, genau so hysterisch und unerzogen wie die der Señora.

Und alle wollten nach Cuernavaca.

»Wo ist Pepe?« fragte Frau Taschner, nachdem sie die Truppe umarmt und Friederike vorgestellt hatte.

Niemand hatte ihn bisher an diesem Vormittag gesehen. »Er wird doch nicht noch schlafen? – Rosina!« fing sie das Mädchen ab, das Erfrischungen herumreichte.

Aber Rosina wußte es auch nicht. Zum Frühstück war er jedenfalls noch nicht erschienen.

Auf dem hastigen Weg zu seinem Zimmer im ersten Stock begegnete sie der alten Büglerin, die zweimal in der Woche ins Haus kam. Die sagte, sie habe vom Dach aus, beim Abnehmen der Wäsche, beobachtet, wie Pepe mit zwei schweren Reisetaschen so gegen neun Uhr das Haus verlassen habe und mit einem Taxi davongefahren sei.

Am meisten hatte die Alte an Pepes Auszug beeindruckt, daß er seine Taschen selber trug.

Señora Taschner rief die Muttergottes an und jagte zu seinem Zimmer, gefolgt von drei Verwandten und der sehr interessierten Friederike.

Auf seinem Schreibtisch war die Unordnung beiseite geräumt, um in der Mitte Platz für einen leicht sichtbaren Zettel zu schaffen:

»Verzeih, Mamita, wenn ich Dir Kummer mache, aber ich kann nicht länger hierbleiben. Sucht nicht nach mir. Eines Tages werdet Ihr von mir hören. Grüße Papa und Bobbo und sei herzlich umarmt von Deinem

Pepito

P.S. Grüße bitte auch Friederike, und ich wünsche ihr noch schöne Tage in Mexiko.«

Frau Taschner brach mit einem Wehlaut in die Arme ihrer Schwester. Alle redeten erregt durcheinander.

Dazwischen platzte der Schofför mit der Mitteilung, daß es höchste Zeit sei, zum Flughafen zu fahren, sonst brauchten sie gar nicht mehr zu fahren, denn um diese Zeit sei der Periferico total verstopft . . .

»Ich komme ja schon«, Rieke war froh, dem allgemeinen Seelenaufstand zu entfliehen.

Auch der Opa hatte die Aufregung über Pepes Flucht dazu benutzt, seinen Aufpassern auszubüxen und in das Büffet mit den Erfrischungen einzubrechen. Er stopfte sie wahllos und kleckernd

mit beiden Händen in sich hinein. Als Rieke vor-
überlief, grinste er ihr spitzbübisch zu.
In seiner Jugend mochte er ein schmucker, stattli-
cher Mann gewesen sein.
O Gott, dachte Rieke flüchtig, wenn ich eines Tages auch so werde . . .

Nun saß sie im Auto und freute sich auf das Wiedersehen mit Bob.
Seit dem letzten Stand der dramatischen Entwick-
lungen im Hause Taschner sehnte sie ihn weniger
als Mann herbei – weibliche Gefühle bedeuteten in
ihrer augenblicklichen Situation blanken Luxus –,
sondern vor allem als Rettungsanker. Da der In-
itiator ihrer Mexikoreise bereits am zweiten Tage
ihres Hierseins durchgegangen war, fühlte sich
Rieke etwas ratlos, wenn sie an die weitere Gestal-
tung ihres Aufenthaltes in diesem Lande dachte.
Bob würde ihr bestimmt mit Vorschlägen und Taten beistehen.

Über frischgebügelte Frisuren, Strohhüte und winkende Hände hinweg sah sie ihn näher kommen.

Er latschte ein bißchen. Sein Jackett mit den verlederten Ellbogen hing lose um ihn herum. Den Schlips hatte er ein Stück vom Hals gezogen. Er trug gern waschblaue Hemden. Es gab keine bessere Farbe für seinen rotbraunen Schopf. Frischgewaschen fiel er ihm bis auf die Augenbrauen.

Die Augen waren so blau wie das Hemd.

Was für einen breiten, lachbereiten Mund er hatte. Und was für einen unerschöpflichen Vorrat an Sommersprossen.

Riekes Freude hopste über die Barriere direkt um seinen Hals herum, ließ ihn gar nicht wieder los. Gleichzeitig war sie zu befangen, durch Winken auf sich aufmerksam zu machen.

Vielleicht hob er von selbst den Kopf und sah sie und freute sich, sie zu sehen.

Bob hob den Kopf und freute sich über ein blondes, geblümtes Mädchen, das keine Hemmungen hatte, ihre Arme um seinen Hals zu schlagen.

»Bobo!«

»Ja, Ulla – ja, gibt's dich auch noch? Sag bloß, du holst mich ab! Woher weißt du überhaupt –?«

»Ich habe deinen Vater angerufen.«

Er übergab sein Gepäck einem Träger, das Mädchen hängte sich bei ihm ein. So gingen sie davon.

Rieke ging hinterher. Nun reichte es ihr. Sie mochte nicht mehr mitspielen. Empfand plötzlich ziehendes Heimweh nach Plumpsacks Plumpvertraulichkeiten und nach Papke auf seinem behäbigen Wachstuchsofa. Stellte sich vor, wie sie ihm ihre ersten Tage in dieser Stadt schildern würde, und überlegte sich seine Reaktion darauf.

»Mann! Du tickst woll nich janz richtig. Kriegst 'n Billett nach Mexiko jeschenkt und wat machste draus? Janisch machste draus. Hängst bei diese Typen rum, anstatt mit 'n nächsten Bus ab die Post und die Jejend bekieken. Wozu biste denn sonst so weit rüberjemacht?« Papke hatte ja so recht.

Rieke ging noch immer in einigem Abstand hinter Bob und dem Mädchen her zum Wagen, aber nicht mehr wie ein begossener Pudel, sondern wie ein getrockneter.

Ja, wie kam sie eigentlich dazu, sich noch immer von Taschners abhängig zu fühlen!?

Nur, weil sie fremd hier war und knapp im Portemonnaie? Andere junge Leute kamen mit viel weniger Geld noch viel länger als 14 Tage in diesem Lande über die Runden.

Wo war ihre von Sixten ebenso geschätzte wie gefürchtete Aktivität geblieben? Ja, wo war sie, verdammt noch mal –!? Rieke sah sich suchend nach ihr um.

Bob sah sich nach seinem Träger um. Dabei fiel

ihm ein großes, sportliches Mädchen mit einem bemerkenswert aggressiven Gesichtsausdruck auf, das ihm bekannt vorkam. Er begriff erst beim zweiten Hinschauen, daß es Rieke Birkow war, weil er sie in dieser Umgebung nicht vermutete.

»Entschuldige, Ulla«, sagte er, ließ seine Abholerin im Stich und ging auf Rieke zu. »Das darf doch nicht wahr sein! Ja, warum erzählt mir denn keiner, daß du hier bist?«

Er küßte sie auf beide Wangen und freute sich aufrichtig, doch, das tat er.

»Ulla, das ist Rieke Birkow aus Preußen. Ulla Kirchstein. Unsere Eltern wollten uns schon als Kinder miteinander verloben. Inzwischen haben sie es wohl aufgegeben.« Er ging zwischen ihnen weiter. »Rieke ist eine gute Freundin von Pepe und mir.«

»Ah so.« Ulla Kirchstein wirkte leicht verstimmt. Mexico City war ihre Domäne. Da vertrug sie ungern eingeflogene Rivalitäten. »Kennt ihr euch schon lange?«

Rieke und Bob sahen sich an und lachten.

»Alles in allem vielleicht dreißig Stunden.«

»Aber was haben wir in denen angestellt! Im trüben gefischt. Handarbeiten gemacht. Erste Hilfe geleistet.«

»Zweite Hilfe«, verbesserte Rieke. »Gundi und Bussi waren vor uns da.«

»Berlin vergewaltigt. Und gedichtet, das heißt, du hast gedichtet. Kannst du's noch?«

Ulla reichten die bisherigen Kostproben ihrer kurzen, gemeinsamen Vergangenheit, sie wollte nicht auch noch den Vortrag von selbstgemachten Gedichten erleiden.

»Hör zu«, wandte sie sich an Bob. »Ich bin gekommen, um dich einzuladen. Ich gebe heute abend eine Party. Ab neun. Absagen gilt nicht.«

Bob brachte sie zu ihrem Auto und versprach, am Abend vorbeizuschauen.

Dann stieg er zu Rieke in den Fond des Taschnerschen Wagens. Was für eine Abfahrt vom Flughafen im Vergleich zu ihrer gestrigen!

Gestern halbmast. Heute Salutschüsse.

Sie sahen sich an und lachten und freuten sich.

»Schön, daß du da bist, Rieke. Weißt du noch, mit welchen Beinen die Kuh zuerst aufsteht?«

»Nein.«

»Ich auch nicht. Aber dafür kann ich dir hier jede Menge Amöben bieten. Du brauchst nur den Wasserhahn aufzudrehen.« Bob legte die Hand auf ihren Arm. »Aber nun erzähle!«

Erzählen? Ja, wo sollte sie da anfangen? Rieke dachte kurz nach und erinnerte sich erschrocken: »Pepe ist durchgebrannt!«

Durch das Taschnersche Anwesen war während Riekes Abwesenheit der große Besen gefahren und hatte die Sippe der Señora samt deren Personal in die Autos und dieselben vom Hoftor gefegt.

Man würde es ihm nicht zutrauen, wenn man ihn seinen Leinsamen einspeicheln sah, aber Herr Taschner senior hatte diesen Kraftakt ohne Untermann und ohne Netz vollbracht. Seine Frau war zu außer sich über Pepes Flucht, um ihn daran zu hindern. Im Hause herrschte wieder Ruhe bis auf ihr lautes Schluchzen, das Zwitschern der Vögel und das Lustgehechel der Zierhündchen. Sie trieben es – wie üblich – miteinander, unterbrachen jedoch ihren Zeitvertreib, als sie den Wagen in den Hof fahren und Bobs Stimme hörten. Ausgerechnet ihn, den einzigen, der ihnen einen Tritt zu versetzen wagte, wenn sie an die Sofas pinkelten, liebten sie abgöttisch.

Herr Taschner erhob sich und ging rasch auf seinen Sohn zu, seine Frau fiel ihm schluchzend um den Hals.

»Bobo, was sagst du dazu? Eine Katastrophe!«

Beide klammerten sich an den Ältesten, als ob er die Wendung zum Guten, zumindest Pepes Fluchtadresse in der Rocktasche hätte. Im Hintergrund räumten Rosina und Maria in Zeitlupe die Reste der Erfrischungen und die Gläser einzeln ab, um ja nichts zu verpassen.

Bob führte seine Stiefmutter – wieviel mochte sie älter sein als er? Höchstens acht, neun Jahre – zu ihrem Sofaplatz zurück und setzte sich neben sie.

»Friederike hat mir schon berichtet. Weine nicht, Isabella, Pepe tut sich bestimmt nichts an. Einer, der mit zwei schweren Reisetaschen türmt, denkt nicht ans Sterben.« Diese, ihrer Meinung nach dem Ernstfall nicht angemessene Logik tröstete Frau Taschner nicht.

Wo war er hin, ihr Chiquito? Warum hatte er ihr das angetan?

»Überlege lieber einmal, warum er es getan hat«, gab ihr Mann zu bedenken.

»Es könnte sein wegen – wegen heute nacht«, überlegte Rieke.

»Wieso? Was war heute nacht?«

»Pepe und ich waren noch in der Küche, da rief Malinche an. Sie war sehr verzweifelt, weil ihr Vater sie und das Kind heute früh aus Mexico City fortbringen wollte. Nicht einmal verabschieden durfte sie sich mehr von Pepe.«

»Und Pepito?«

»War natürlich auch verzweifelt.«

»Hat sie ihm gesagt, wohin sie gebracht wird?« fragte Herr Taschner.

»Wahrscheinlich. Aber Pepe hat es mir nicht gesagt«, bedauerte Rieke. »Ich hab ihn auch nicht

gefragt . . .« Es entstand ein langes, gedanken-
trächtiges Schweigen, in dem man Riekes Magen
anzüglich aufknurren hörte. Es war ihr peinlich.

Aber daß so niemand Notiz von ihm nahm, war
noch peinlicher für ihren hungrigen Magen. Er
kam hier so selten zu geregelten Mahlzeiten.

Isabella Taschner brach plötzlich wieder in Weh-
klagen aus, das selbst ihr Chihuahuamännchen
rührte. Er hüpfte auf ihren weichen, ausladenden
Schoß.

Herr Taschner stand auf und verließ die Wohn-
halle. Irgend etwas etwas ertrug er hier nicht mehr.
Rieke auch nicht. Das war das klamme Klima.

Die Señora schluchzte an Bobs Schulter gelehnt:
»Er flieht mit ihnen – ich sehe sie vor mir – wie
Maria und Josef mit dem Jesuskind – selbst noch
solche Kinder – ja, haben sie denn überhaupt
Geld?«

Bob streichelte ihre Schulter und schaute dabei zu
Rieke herüber. War ganz ernst bis auf die Sommersprossen. »Liebe Isabella, ich kenne meinen
Bruder nur flüchtig, aber immerhin gut genug, um
sicher zu sein, daß er nicht der Josef ist, der bar-
geldlos auf eine Flucht geht. Er hat ja schließlich
sein Konto.«

Das beruhigte Frau Taschner ein wenig. Sie suchte
nach ihrem Taschentuch. Saß drauf. Zog es vor und
schnaubte. Das Weinen hatte aus ihrer Schönheit

eine schöne Ruine gemacht. »Bobbo«, sagte sie plötzlich ganz ruhig, »wohin würdest du fliehen?«

»Ich?« Die Frage kam überraschend für ihn. Er überlegte. »Mit einem Mädchen? Nun – vielleicht nach Puerto Vallarta, Acapulco, Cancun oder Cosumel . . .«

»Du denkst sofort an Urlaub«, rügte sie ihn.

»Und du denkst zuviel an Bethlehem, liebe Isabella.« Jetzt mischte sich Rieke ein.

»Ich glaube nicht, daß sie an irgendeinen Ferienort fahren. Sie fliehen ja nicht in die Welt, sondern vor der Welt, die sie auseinanderbringen will.«

Auch in ihrer Vorstellung schien die Maria-und-Josef-Version mit dem kleinen Jesuskind im mexikanischen Umschlagetuch Gestalt anzunehmen.

»Also gut«, lenkte Bob ein. »Wenn ihr meint, daß sie sich verstecken wollen, dann werden sie am ehesten Orte aufsuchen, die ihnen bekannt sind. Deine Familie, Isabella, hat doch noch leerstehende Landhäuser. Zum Beispiel das Dingsda bei San Miguel mit den vielen Ställen . . .« Er brach erschrocken ab. Hatte er »Ställe« erwähnt? Hatte der biblische Stall inzwischen auch seine Phantasie infiziert?

»Das haben wir nicht mehr«, sagte Isabella. »Das ist verkauft.« Und dann erklärte sie entschieden:

»Ich gehe nicht von diesem Telefon hier fort, bis ich Nachricht von Pepito habe. Ich weiß, er wird sich melden. Aber er wird sich nur bei mir melden, verstehst du, Bobbo? Kein anderer darf den Hörer abnehmen außer mir.«

Das Telefon fühlte sich angesprochen und gab Laut. Sie nahm sofort den Hörer ab: »Pepito?« und gab ihn ernüchtert an Bob weiter. »Für dich.«

Es war Ulla. Er machte ein paar abgelenkte muntere Komplimente, versprach, auf ihre Party zu kommen und hängte nach wenigen Minuten ein.

Isabella Taschner hatte während des Gespräches unbeweglich auf ihre krampfhaft um das Taschentuch gepreßten Hände gestarrt.

»Schöne Grüße«, sagte Bob.

Jetzt sah sie auf. »Du willst zu Kirchsteins heute abend?«

»Ja.«

»Das geht nicht«, erklärte sie strikt. »Bobbo, du mußt deinen Bruder suchen – und zwar noch heute!«

Er schien sich verhört zu haben. »Suchen? Ich? Pepe?« und hatte wohl kurzfristig die Landkarte von Mexiko vor Augen samt unwegsamem Hochland und unwegsamem Urwald. »Wie stellst du dir das, bitte, vor?«

»Ich gebe dir eine Liste mit den Möglichkeiten, wohin er geflohen sein könnte.«

»Aber das führt doch zu nichts!«

Ein Argument, das an Frau Taschner wirkungslos abprallte.

»Schau, Isabella, ich komme aus Europa, um hier Ferien zu machen, und muß am nächsten Tag für Papa auf Geschäftsreisen gehen. Ich war in Puebla, in Vera Cruz. Ich komme eben aus Monterrey zurück und soll schon wieder los? Hat es nicht wenigstens bis morgen Zeit?«

»Morgen kann es schon zu spät sein«, sagte Isabella kühl.

»Was, bitte, soll zu spät sein, wenn ich ihn im Norden suche, und er trampt zur gleichen Zeit durch den Süden?«

»Also gut, gut, gut«, rief Isabella voll nervöser Einsicht, »dann starte erst morgen. Aber morgen früh bestimmt.« Und rein zufällig fiel ihr Blick auf Rieke, die sich gegen das Gezwicke des Griffon-Terriers wehrte.

»Was wird denn nun aus Ihnen?«

»Machen Sie sich um mich keine Sorgen!« versicherte Rieke.

»Doch, doch, Sie sind unser Gast. Pepe wäre mir sehr böse, wenn ich mich nicht um Sie kümmern würde. Ich werde für Sie ein Programm zusammenstellen. Zuerst einmal die Stadt – und dann die nähere Umgebung –.« Sie brach ab und blickte erschrocken auf Bob, der von seinem Stuhl zu kippen

drohte, sich aber noch rechtzeitig vor einer Boden-
landung fing. Rieke hatte ihn massiv ins Kreuz ge-
bufft.
Er schaute sie fragend an. Ihr Blick war prall vor
Bitten: »Bewahre mich vor Isabellas Programmen.
Ich will nicht ihre Gastfreundschaft strapazieren.
Ich will aus diesem Trauerhaus heraus! – Ich
möchte so gerne mitfahren und Pepe suchen.
Bitte!«
Bob überlegte einen Augenblick, wie er seiner
Stiefmutter Riekes Wunsch plausibel machen
konnte, ohne sie zu verletzen.
Er entschied sich für: »Weißt du, Isabella, ich
werde Friederike mitnehmen, denn – eh – vier
Augen sehen immer mehr als zwei. Nicht wahr?«
und an Rieke gewandt: ». . . natürlich nur, wenn
du Lust hast.«
Sie strahlte so erleichtert wie weiland die späte
Jungfrau über einen nicht mehr erhofften endli-
chen Heiratsantrag.

Ehe sie am Sonntagfrüh zu ihrer »Such-Rallye«
(Bobs Bezeichnung für dieses Unternehmen) auf-
brachen, mußten sie Proviantkörbe und Kühlbo-

xen verladen, die die Köchin am Abend zuvor für sie bereitgestellt hatte, denn dort, wo sie Pepe zuerst suchen sollten, gab es keine Einkaufsmöglichkeiten.

Die Körbe waren in einem eiskalten Vorratsgewölbe untergebracht, gleich neben den Schüsseln mit dem Hundefutter. Rieke ging auf die Suche nach einer Plastiktüte.

Isabella war als einzige zu ihrem frühen Abschied aufgestanden und umarmte ›Bobbo‹ einmal und noch einmal und noch einmal, bis Rieke, na na, dachte, nun reicht es aber.

»Bring mir Pepito wieder, hörst du? Bring ihn mir – und paß auf dich auf.«

Vielleicht war das gar nicht so dumm, einen Witwer mit großem Sohn zu heiraten. Hatte man im Notfall was Extras zum Anlehnen im Haus. Sie fuhren vom Hof. Die hohen Tore schlossen sich hinter ihnen automatisch.

Rieke fühlte sich befreit von einer Umgebung, in der sie so sehr gefroren hatte. Und sie durfte diese lärmende, rücksichtslose, vom Smog belagerte, für ihren Bedarf viel zu großgewucherte Stadt verlassen.

In den Elendsbuchten in ihrer Straße war man schon munter. Rieke bat Bob, langsam zu fahren. Sie griff in die Plastiktüte mit dem Fleischfutter und warf zwei Hände voll nach den mageren Hunden, die sich auf dem Pflaster in der Morgensonne wärmten.

Bob wunderte sich kurz über die Herkunft ihrer Fleischvorräte.

»Geklaut?« fragte er.

»Was denn sonst?!«

»Sehr gut.« Er litt sich jedes Wort aus dem Mund dank der ausgiebigen Party bei den Kirchsteins, von der er im Morgengrauen heimgekehrt war.

Rieke strapazierte ihn deshalb nicht länger mit unnötiger Konversation.

Sie deckte sich mit ihrer Jacke zu und bemühte sich, darunter nicht zu frösteln, denn nun fuhren sie in die Berge hinauf, wo die Luft noch kälter und noch dünner war als im hochgelegenen Mexico City.

Das Auto hatte keine Heizung. Das Haus hatte auch keine Heizung gehabt. Waren die Menschen hier so abgehärtet oder hatte ihnen einer erzählt, in Mexiko wäre es immer und überall schön warm? Sie fuhren höher und höher, und das Land unter ihnen wurde immer weiter, und immer neue Berge tauchten in ihm auf.

Bisher war es ihr egal gewesen, wohin die Suche führte. Hauptsache, von der City fort in die Weite und Stille.

»Wohin fahren wir eigentlich?« fragte sie in Paßhöhe.

»Zuerst nach Cuernavaca«, sagte er, »im Staate Morelos.«

»Oh«, erschrak Rieke, »den Namen kenne ich. Da sollten wir mit tausend Verwandten und Freunden das Wochenende verbringen. Da ist Pepe garantiert nicht hingetürmt.«

»Garantiert nicht«, versicherte Bob. »Wir gehen dort nur zur Messe.«

»Oh«, sagte Rieke noch einmal, tief beeindruckt. »Erzähl mir von Cuernavaca.«

»Es ist die nächstgelegene Stadt mit subtropischem Klima bei der City. Hier hat man sein Wochenendhaus, wenn man hat. Hier geht man in Pension – wenn man kriegt.«

Unter ihnen tauchten vereinzelte Palmen am Abhang auf, später auch Limonenbäume und Bananenstauden.

Rieke nahm erleichtert ihre Jacke von den Schultern. Soweit sie über die Gewohnheiten von Bananen orientiert war, weigerten dieselben sich strikt, in kühlen Zonen zu gedeihen. Rieke war klimatisch endlich auf dem richtigen Wege.

Die Kathedrale von Cuernavaca war eine der ältesten Kirchen Mexikos. Nach der Renovierung und
Modernisierung ihres Inneren war sie auch eine
der schönsten. Bob führte Rieke durch den Mittelgang an jungen Müttern, die ihre Säuglinge nähr-
ten, spielenden Kindern und filigranzarten Grei-
sinnen unter vergilbten Spitzenschleiern vorbei in
die erste Bankreihe.

Vor ihnen richtete sich eine Musikkapelle ein –
neun Musikanten und ein Sänger – obenherum
blütenweiß gefältelt, unten kurzbeiniges stramm-
sitzendes Schwarz mit drei Reihen Silberknöp-
fen.

»Ist das die Orgel?«

»So ungefähr. Jeden Sonntag ist hier Mariachi-
Messe. Mariachis sind Straßenmusikanten. Man
kann sie mieten. So wie ich Pepe kenne, hätte er
dich bestimmt mit einer Kapelle am Flughafen
empfangen – wenn er gewußt hätte, wann du ankommst.«

Rieke dankte zum ersten Mal ihrem Telegramm
dafür, daß es verschüttgegangen war. Sie gehörte
nicht zu dem Typ, der Ständchen schadlos ver-
kraftete. Sie ging in selbigen gleich dreimal unter
– einmal vor Verlegenheit, einmal in der Angst vor
einem hysterischen Lachkoller und zum dritten
und peinlichsten: in tränenreicher Rührung.

Sie sagte das Bob und ließ ihn schwören: »Von mir

aus bezahle eine Kapelle dafür, daß sie nicht spielt
– hat sie wenigstens keinen finanziellen Ausfall.
Aber bitte, bitte, niemals ein Ständchen für
mich!«

Er schwor es ihr.

Ein duftiges Mädchen im Sonntagskleid ging
herum und verteilte den Messetext.

Dann ging es los.

»Huiija!« So eine rhythmisch mitreißende Musik
hatte Rieke noch nie in einer Kirche vernommen.
Sie ging ins Gemüt und ins Blut und – Bob buffte
sie in die Seite.

»Steh still. Du rockst.«

Der Vorsänger schmetterte das Angelus zu den
Kirchenfenstern hinauf, in denen sich das Sonnen-
licht bernsteinfarben brach. Die Menge sang
»Estribillo«. Rieke sang auch Estribillo vom Blatt
»en mi Dios, mi Salvador . . .«, dann verlor sie den
Anschluß an das weitere.

Die Vikare, ganz in Weiß, waren aufgetreten und
zuletzt der junge, intellektuell wirkende Pfarrer in
einem weiß-grünen, hochmodernen Talar. Er pre-
digte in ein Handmikrophon, das war nötig, denn
die anwesenden Babys quengelten, Glocken läute-
ten in einem fort, Mütter eilten ihren herumren-
nenden Kindern nach, und immerzu klappten Türen, weil neue Besucher die Kirche betraten,
darunter ortsansässige Amerikaner, die jungen

Mädchen und noch lieber jungen Männern die Mariachimesse vorführen wollten, in ihren Gesten verstohlene Verliebtheit.

Bob sah rechtzeitig einen kurznackigen, schnauzbärtigen, weißgekleideten Señor mit je einem Kind an der Hand, gefolgt von mehreren, puppenhaften Hennen den Mittelgang heraufstolzieren. »Achtung!« zischte er Rieke zu und zog sie geduckt aus der Bankreihe, an einer kniend betenden Indiofamilie vorbei einem Seitenausgang zu.

»Sag mal, wer ist hier eigentlich auf der Flucht – Pepe oder wir?« fragte sie, als sie den sonnigen Vorhof erreicht hatten.

»Das war Onkel Vicente mit Familie, ein Bruder von Isabella. – Oder hättest du ihn gerne kennengelernt?«

»Mensch, komm bloß«, sagte Rieke und zog ihn weiter.

Bob kurvte durch bewaldete Hügelketten, die die Regenzeit grün gefärbt hatte. Eine Ziegenherde – braun, schwarz und honigfarben bezottelt, wälzte sich meckernd den Abhang hinunter und über die Straße, auf der sie fuhren. Sie mußten anhalten.

Hütehunde versuchten, in ihre Autoreifen zu bei-
ßen. Sie ließen den Wagen stehen und stiegen zu
einer Pyramide hinauf. Bob sprach von Maja- und
Toltekeneinflüssen und freute sich über die archa-
ische Landschaft, die er ihr bieten konnte.
Rieke sah unterhalb der Pyramide zwei skelettar-
tige Hunde, blaß wie Maden, den gerölligen Boden
nach Eßbarem absuchend.
Was interessierten sie noch die Ausgrabungen, auf
denen sie herumturnten, sie wollte zum Wagen
hinunterlaufen und ihren Fleischsack holen, aber
Bob, der ihre Gedanken erriet, hielt sie zurück.
»Du tust ihnen keinen Gefallen, wenn du sie jetzt
vollstopfst. Erstens vertragen sie es nicht mehr,
und zweitens regt es ihren Hunger wieder an.«
Auf der Weiterfahrt war sie sehr ruhig.
»Was ist los?«
»Immer, wenn ich mich hier freuen möchte, sehe
ich etwas, was mir die Lust am Freuen nimmt.«
»Du kommst mir vor wie die Reichen, die es den
Armen übelnehmen, daß sie ihnen durch ihren un-
erfreulichen Anblick die Laune verderben.«
Er hupte, um einen Esel von der Straße zu vertrei-
ben.
»Rieke!«
»Ja?«
»Tust du dir einen Gefallen?«
»Mir?«

»Hör endlich auf, an jedem Rind, das uns vor den Kühler rennt, die Rippen zu zählen. Zerfließ nicht bei jedem lahmen alten Roß vor Mitleid. Das hier ist Mexiko und nicht Oberbayern. Okay?«

»Okay«, sagte Rieke, wenn auch zögernd, denn sie hatte gerade ein paar zerlumpte Kinder entdeckt, die, am Wegrand hockend, kleine Rosensträuße zum Verkauf anboten.

»Halt doch mal an!«

»Warum?«

»Ich muß mal«, sagte Rieke und nahm beim Aussteigen ihr Portemonnaie mit.

Ihr erstes Ziel war ein Wochenendhaus am See Tequesquitengo. Die Familie benutzte es nur noch selten, höchstens die Jugend kam manchmal heraus, um Wasserski zu laufen.

Während sie die Uferstraße entlangholperten, sagte Bob: »Flucht, verbunden mit Wasserski, ist keine schlechte Sache.«

»Du bist ironisch«, rügte ihn Friederike. »Du weißt nicht, wie Pepe und Malinche zumute sein mag – und dann noch mit dem Baby . . .«

Links von der Straße neigten sich blumenreiche

Gärten zum See. Hühner rannten gackernd über die Straße, Truthähne kollerten aufgebracht. Unter einem Strauch hatte sich eine riesige, rotbraune Sau eingebuddelt.

»Da vorn ist es.« Bob fuhr auf ein Tor zu, dessen Türen nur angelehnt waren. Er stieß sie mit dem Kühler auf und rollte in die grüne Wildnis bis unter eine Kokospalme. Sie stiegen aus.

Während er die Körbe und Taschen ins Haus trug, sah sich Rieke um.

Registrierte eine verkommene, weiße Villa mit vorgebauter Säulenveranda und Sonnenterrassen, von Bougainvilleas überwuchert. Im Garten süßduftender, weißsterniger Jasmin, Limonenbäume, Bananenstauden, Kakteen und all das andere, was für einen norddeutschen Touristen zum Wunschbild subtropischer Ferien gehört.

Rieke sagte endlich: »Hier möchte ich aber lange nach Pepe und Malinche suchen!«

In der Küche fanden sie den antiken, rostblühenden Eisschrank in dröhnendem Betrieb, mit Milch, Früchten, Tequila und einem Wurstzipfel möbliert. Alles noch genießbar.

»Also waren sie hier«, überlegte Bob. »Oder sind
es immer noch.«

Rieke hob den Deckel von der stinkenden Müll-
tonne im Hof und schaute hinein. Und stellte fest:
»Keine Windeln drin.«

»Das will nichts heißen«, meinte Bob. »Was
braucht ein Baby Windeln bei der Tempera-
tur?«

Rieke durchstöberte das Haus – drei Schlafzimmer
mit Bädern im Erdgeschoß, vier Schlafzimmer mit
Bädern im ersten Stock, um eine Terrasse ge-
zäunt.

Im Parterre fanden sie ein Doppelbett zerwühlt.
Mexikanische und amerikanische Zeitschriften lagen über den Boden verstreut. Eine Badehose hing
am Duschhahn.

»Was meinst du?« Rieke sah sich gründlich um.
»Keine Zahnbürste, keine Seife . . .«

»Das will nichts bedeuten«, meinte Bob, denn er
hatte auch seine Seife vergessen. »Es war eben eine
überstürzte Flucht.«

Sie suchten sich die schönsten Zimmer im ersten
Stock aus. Um diese Mittagsstunde war es in ihnen
so mollig wie in einer Kochkiste. Aber zur Nacht
würden sich die Räume sicher abkühlen.

Als Rieke ihr Nachthemd auspackte, stellte sie fest,
daß sie vom Bett aus durch die Gazetüren einen
breiten Blick über die Terrasse auf den See und die

Berge dahinter hatte. Ganz rechts lugte der schneeverzuckerte Rundkopf des Popocatepetl um die Kurve. Ihn kannte sie aus der Geographiestunde.

»Ich geh schwimmen«, rief sie in die Richtung, in der sie Bobs Zimmer vermutete, und rannte so schnell zum See hinunter wie früher als Kind am ersten Ferientag in die Ostsee.

Bob sprang mit einer Minute Verspätung hinterher.

Nach dem ersten sportlichen Imponiergehabe trieben sie im braunen, warmen Wasser am Ufer entlang, an verlassenen Villen vorbei zu einer kleinen Bucht, in der schlappohrige Rinder und Ziegen badeten.

»Schön hier?«

»Sagenhaft«, lachte sie und bewarf ihn mit rohen Kakteenfrüchten, die ihr über den Weg schwammen. Später lagen sie nebeneinander in der steilen Sonne. Rieke war froh. So gut hatte sie es schon lange nicht mehr gehabt. Wenigstens in den letzten Jahren nicht. Oder noch nie . . . vielleicht sogar noch nie so gut . . . Bob lag neben ihr auf dem Bauch, über den leicht versengten Schultern ein Handtuch, und sah Riekes Freude zu.

Dieses bewußte Jeden-Augenblick-Genießen steckte an.

»Es macht einen Riesenspaß, dich hier zu haben«,

sagte er. »Da lernt man so viele Frauen kennen –
nicht, daß ich was mit ihnen haben müßte – ich
meine nur – man trifft viele, aber wann ist schon
einmal eine dabei, mit der man wirklich befreundet
sein möchte?!«

Rieke rollte den Kopf zur Seite und blinzelte ihn
an.

»Meinst du mich?«

»Warum erzähle ich dir's denn sonst?«

»Du meinst, ich bin ein richtig guter Kumpel?« Sie
wollte es genau wissen.

»Ja«, sagte Bob.

Ein Kumpel.

Als er nach Rieke schaute, war das Handtuch, auf
dem sie eben noch gelegen hatte, leer. Sie hatte sich
einfach von der Mole zwei Meter tief in den See
fallen lassen.

Kumpel! Ich bin ein Kumpel –!

Es fehlte bloß noch, daß er ihr kameradschaftlich
auf die Schulter klatschte.

Am späten Abend zog ein Gewitter auf.
Wildgewordene Fieberkurven zerrissen den
schwarzen Himmel. Der See tobte.

Rieke und Bob saßen auf der offenen Veranda und schauten zu. Aus der vom Sturm gebeutelten Vegetation flogen rote Blüten und Früchte vorbei. Palmblätter klapperten wie exotische Instrumente. Es war Riekes erstes tropisches Gewitter. Sehr gemütlich.

»Wenn Pepe und Malinche jetzt mit dem Kind unterwegs sind . . .«

»Dann werden sie naß«, meinte Bob.

Seine Antwort ärgerte Rieke. »Das mag ich nicht an dir. Du nimmst ihre Flucht nicht ernst genug. Gib's zu.«

Er gab es zu, während er die Orangenscheibe aus seinem Planterspunch angelte.

»Auf alle Fälle werden wir heute nacht die Tür für sie offenlassen.« Und als er nichts darauf sagte –

»Ich möchte nur wissen, mit was für 'm Vehikel sie unterwegs sind. Mit 'nem Eselskarren? Pepe hat doch noch keinen Führerschein!«

»Oh«, sagte Bob, »das hat ihn schon mit Vierzehn nicht vom Autofahren zurückgehalten.«

Das Gewitter war – so plötzlich, wie es gekommen, weitergezogen. Palmwedel klapperten erschöpft. Man hörte wieder das Pfeifen der Grillen. Und Wasserglucksen.

»An sich wolltest du hier mit Vera Ferien machen«, erinnerte sich Rieke.

Wie kam sie ausgerechnet jetzt auf Vera? Ja, wie

kam sie nur? Vielleicht, weil sie ergründen wollte, warum Bob in ihr nur einen Kumpel sah.

»Hörst du noch von ihr?«

»Ja.«

»Zum Maxl hat sie sich nicht anständig benommen«.

»Du mußt immer zwei Seiten hören.«

». . . aber glauben kann ich nur einer«, sagte Rieke.

Bob lachte.

Er ließ sich partout nicht in ein Gespräch über Vera ziehen.

»Wie lange bleibst du in Mexiko?« erkundigte er sich nach einer Weile.

»Bis Freitag nächster Woche. Wieso fragst du?«

»Dann werdet ihr euch nicht mehr sehen, Vera kommt erst am Montag drauf hier an.«

Rieke hatte ein Gefühl, als ob sie jemand in den Magen boxte.

»D-das ist aber schade. Dann verpassen wir uns genau um paar Tage . . .« Heucheln lag ihr nicht –

Vom Jasminstrauch unterhalb der Veranda zog ein süßer Duft herauf, so, als ob er einmal tief ausatme.

»Wird sie auch bei euch wohnen?«

»Vera? Nein. Ich hab für sie was in einem zentralgelegenen Hotel bestellt. – Übrigens haben wir gestern abend festgestellt, daß Ulla Kirchsteins Bru-

der mit der Schwester von Vera mal verlobt war.
– Zufall, nicht?«
Rieke sah einem fernen Wetterleuchten nach.
Was sollte sie jetzt sagen: Jaja, die Welt ist klein?
»Ich werde die beiden zusammenbringen«, versprach sich Bob. »Dann muß ich wenigstens nicht mit ihr durch die Geschäfte ziehen.«
Ein dünner Schatten huschte über das untere Ende der Veranda, verharrte lautlos . . .
»Herodes?« fragte Bob in die Dunkelheit.
Herodes war ein Hund mittlerer Größe und unbestimmten Alters, entfernt an einen Jagdterrier erinnernd. Weil er so dünn war, wirkte er sehr jung. Er wagte sich ein paar Schritte aus der Dunkelheit hervor, wedelte unsicher, wich anfangs vor der Hand zurück, die Bob ihm entgegenstreckte . . . Er sprach ihn spanisch an.
Auf einmal war er mit einem Satz auf seinem Schoß. Eine eckige, weil kaum benützte Zärtlichkeit brach aus.
»Wir sind von meinem letzten Urlaub her befreundet«, erzählte Bob. Rieke hörte nicht mehr zu, sie war bereits in die Küche gelaufen.
Endlich brachte sie ihr gestohlenes Futter an den Hund.
»Herodes ist ein sozial gut gestelltes Hündchen«, sagte Bob. »Er hat einen Namen und ein Halsband und eine feste Schlafstelle in unserer Garage. Sein

Magen besitzt die Fähigkeiten eines Hamstermagens. Am Wochenende frißt er sich bei den Hausgästen voll. Davon zehrt er die Woche über. Zur Zeit muß es ihm nicht gutgehen. Wann kommt schon einer von der Familie an den See.«

Herodes lag noch eine Weile plumpsatt auf der Veranda herum, dann war er lautlos verschwunden.

Rieke zog die Füße unter ihren langen Rock.

»Kalt?«

»Nö.«

»Noch was trinken?«

»Gern.«

So saßen sie bis spät in die Nacht nebeneinander und schauten in die glucksende, raschelnde, grillenpfeifende Schwärze, die wie eine Mauer um das trübe Lampenlicht der Veranda stand. Sprachen halblaut über dies und das. Versicherten sich zwischendurch, was für eine großartige Nacht das doch war. (Was für eine unwiederbringlich verschenkte Nacht in einem romantisch vergammelten, einsamen Haus mit sieben Schlafzimmern – aber das behielt Rieke für sich.)

Sie spürte jeden Augenblick, wie wohl er sich mit ihr fühlte. Immer wieder legte er seine Hand beim Erzählen auf ihren Arm.

Bob erzählte aus seinem Leben, was ihm gerade so einfiel. Internatserlebnisse.

Eine Motorradfahrt durch Guatemala, einem Land, von dem er behauptete, es wäre genau so, wie man sich Mexiko vorstellte.

Er erzählte vom ersten Besuch seines Vaters im Hause von Isabellas Eltern. Er selbst war auch dabei. Laut Isabella soll er damals ein unförmiges Windelpaket mit sich herumgeschleppt und allen Blumen die Köpfe abgerissen haben.

Bob hatte keine Erinnerung an diesen Besuch, bei dem sich Isabella – damals neun Jahre alt – unsterblich in seinen Vater verliebte. Sie soll untröstlich gewesen sein, als sie erfuhr, daß er bereits eine Frau hatte. Als sie sich wiedersahen, war Isabella sechzehn und sein Vater frisch verwitwet.

»Nach dem Trauerjahr haben sie geheiratet.«

»Ein Schicksal wie aus einem Südstaatenroman«, meinte Rieke. »Heute ist Isabella in dich verliebt.«

»Wie kommst du denn darauf?« Bob war beinah erschrocken über diese Möglichkeit. »Und wenn, dann nur, weil ich Ähnlichkeit mit meinem Vater habe.«

In punkto Frauen war er völlig uneitel. Das merkte man auch aus seinen Geschichten. Wenn Mädchen drin vorkamen, überließ er ihnen gern die Heldenrolle.

Was immer man über ihn sagen mochte – einen Gockel-Komplex hatte er nicht. Er war sogar bereit, seine Mißerfolge bei Damen unaufgefordert zu erzählen und nachträglich zu belachen.

Und sein Kumpel Rieke lachte mit. Haha.

Gegen ein Uhr früh stand sie auf. »Ich geh jetzt schlafen.«

»Schon?« Und erhob sich ebenfalls. »Schade.« Er küßte sie auf die Wange. »Träum schön.«

Er brachte sie zur Treppe und zeigte ihr, wo die Lichtschalter waren und erinnerte sie daran, zum Zähneputzen eine Flasche Soda mit heraufzunehmen.

Rieke sagte noch einmal: »Laß die Haustür offen. Vielleicht kommt Pepe in der Nacht zurück.«

»Die schließe ich sowieso nicht ab.«

Und so schieden sie voll Herzlichkeit.

Rieke schritt in ihr Bad hinein und umgehend wieder heraus. Das machten die fetten, schwarzen Kakerlaken, auch Cucarrachas genannt, die auf dem Duschrost balancierten.

Mit großen Tieren wurde sie leichter fertig. Kleine, rasche Krabbler versetzten sie leicht in Ausnahmezustände. Sie überlegte, ob sie Bob rufen sollte. Rief ihn dann doch nicht – sondern machte dasselbe mit ihnen wie mit den Spinnen zu Hause in der Badewanne. Sie drehte so lange den Wasserhahn auf, bis sie im Abfluß verschwunden waren und stopfte die Öffnungen anschließend mit Papier aus, damit sie nicht wieder hochkrabbeln konnten, denn eine Erfahrung hatte Rieke in ihrem Leben schon mehrmals gemacht: alles, wovor sie sich ekelte, war zäh.

Nachdem sie auf den Gräbern der Kakerlaken – (da war doch mal was, das so ähnlich geklungen hatte – was war das noch – ach, richtig, Kanaken!!) – nachdem sie also darauf geduscht hatte, holte sie sich den einzigen Stuhl aus ihrem Schlafzimmer und stieg hinauf, um im Spiegel über dem Waschbecken ihre Beine zu betrachten. Oweih, das würde einen Sonnenbrand auf den Schenkeln geben. Sie stieg vom Stuhl und betrachtete aufmerksam die oberen Partien ihres Körpers.

Und mußte bei aller Bescheidenheit und Selbstkritik zugeben, daß sie ein gutgebautes Mädchen war. Im nackten Zustand wirkte sogar ihr vom modischen Standpunkt aus zu großer Busen reizvoll.

Rieke hatte diesen kurzen, kritischen Überblick dringend nötig, um ihr Selbstbewußtsein vom Fußboden aufsammeln, abstäuben und mit gutem Gewissen trösten zu können: »Auf keinen Fall liegt es daran, daß du wie ein Kumpel *gebaut* bist.«

Sie zog ihr Nachthemd aus dem Koffer und ging noch einmal auf die Terrasse hinaus. Der See war vom kleinen Bootshafen her angestrahlt. Sie hörte Plätschern. Sah Bob in den Lichtkegel hineinschwimmen und einen Arm schwenken.

»Komm runter. Es ist phantastisch.«

Aber Rieke mochte nicht mehr. Sie verschloß die Gazetüren ihres Zimmers und stieg zwischen die Laken, die sie in einem Wandschrank gefunden und über die Matratze ihres Bettes gebreitet hatte.

Im Garten war das Licht ausgelöscht. Nur auf der Terrasse vor ihrem Zimmer brannte noch eine Funzel. Wenn ein Windzug kam, schwankte sie hin und her mit ihren Schatten. In der Ferne bellten Hunde.

Rieke hörte Bob die Treppe heraufkommen. Vor ihrer Tür blieb er stehn.

»Schläfst du schon?«

Sie dachte: Frag du nur nach deinem »Kumpel«!

Er wartete noch einen Augenblick, dann ging er zu seinem Zimmer. Die Tür klemmte beim Zumachen. Er gab sich Mühe, leise zu sein. Dann klatschte es mehrmals. Jetzt killte wohl er seine Kakerlaken.

Sie wachte davon auf, daß etwas kitzelnd über ihr Bein lief. Suchte im Halbschlaf nach ihrem Laken, das auf den Boden gerutscht war und deckte sich damit zu.

Hinter den Gazetüren ergraute die Nacht. Die Funzel brannte nicht mehr.

Rieke rollte sich auf die Seite und wollte weiterschlafen, aber etwas hielt sie davon ab. Das war das Gefühl, nicht allein zu sein. Sie knipste ihre Nachttischlampe an und sah den Skorpion.

Nachdem er über ihr Bett und ihr nacktes Bein gehuscht war, schwänzelte er nun über den blanken Boden und bremste kurz vor ihrer offenen Reisetasche.

Es war ein heller Skorpion.

Rieke glotzte ihn an wie ein hypnotisiertes Kaninchen. Atmete auch nicht mehr. Verpaßte somit den Augenblick spontaner Beherztheit, soll heißen, die nächste Latsche ergreifen und damit – peng!!

Jetzt war es zu spät. Wenn sie jetzt die Latsche hob, war Unsicherheit dabei, die Angst, ihr Ziel zu verfehlen. Und was war dann? Dann ging die Flitzerei los.

Es gab Skorpione, deren Gift dem Menschen gefährlich werden konnte, vor allem das der hellen Skorpione. Hatte sie mal gelesen. Rieke saß bewegungslos auf ihrem Bett, und der Skorpion saß bewegungslos vor ihrer Reisetasche, und darüber wurde es draußen hell.

Sie überlegte: Wenn ich Bob zu Hilfe rufe, setzt ihn vielleicht der Schall meiner Stimme in Bewegung, denn der Skorpion hat extra Hörhaare. Wenn ich aufstehe und fortlaufe, sieht er mich, denn der Skorpion hat extra Augen. Warum war so ein Mistvieh nur mit so vielen Extras ausgerüstet? Und weshalb hatte Rieke eine eins in Biologie gehabt?!

Sie überlegte: Wenn er fortläuft, versteckt er sich vielleicht in meinem Laken, oder in meiner Reisetasche oder in meinem Schuh oder ... oder ... oder ...

Sie sah hilfesuchend zur Terrasse, sah da plötzlich jemanden stehn. Beim letzten Hinschauen war er noch nicht dagewesen. Ein mittelgroßer rundlicher Junge.

»Pepe!«

Rieke juchzte vor Erleichterung.

Pepe war gekommen, genau im richtigen Augenblick ...

»O Pepe, dich schickt der Himmel! Bist du allein –? Wo ist Malinche? Komm rein – aber leise, sonst bemerkt er dich und türmt!«

Dabei hypnotisierte sie mit ihren Blicken den Skorpion. Sie sah erst auf, als Pepe neben ihr stand.

Es war aber nicht Pepe, sondern ein wildfremder, rundlicher, reichlich abgetragener junger Mann. Riekes erster Eindruck: ein Klassenprimus auf großer Fahrt ohne einen Floh in der Tasche, beim zweiten Hinsehn auch ohne Seife.

»Hi«, sagte er flott, »I'm Rusty. Who are you?«

Rieke, irritiert: »I'm German.«

Jetzt staunte Rusty: »Oh, I see«, und war auf einen Handschlag aus, wobei er Rieke fragte, ob sie die Adresse dieser Bude auch von Byron Richards erhalten hätte.

»Nein«, sagte Rieke, »von den Besitzern persönlich.« Das wiederum irritierte Rusty, aber nicht sehr. Er nahm seine pralle Segeltuchtasche von der Schulter und ließ sie auf den Boden fallen. Rieke machte: Pscht!!! »There is a scorpion in my room.« Sie zeigte Rusty, wo. Aber er war nicht mehr da.

Der Skorpion war fort. Wo war, du lieber Himmel, der Skorpion? Rusty schaute die weißgekalkten Wände ab, deren braune Flecken von nächtlichem Morden kündeten, schaute unter ihr Bett. Rieke versprach ihm ein großes Frühstück, wenn er ihre Reisetasche Stück für Stück untersuchen würde. Sie sah ihm dabei zu. Nichts.

Beim Aufrichten stieß er mit dem Hacken gegen einen ihrer Pantoffel. Und das war's. Der Skorpion schoß daraus hervor Richtung Bad, Rusty setzte mit erhobenem Latschen hinterher,

Rieke sprang mit einem Satz bis zur Terrassentür und wollte fliehen. Rusty sperrte den Skorpion im Bad ein und rannte ihr nach.

»Eh – wait a minute! What about some sex?«

»No, thanks a lot«, und daran denkend, daß der Skorpion noch lebte, fügte sie hoffnungsfördernd hinzu: »Maybe later.«

In einem kurzen Anflug von Umsicht ergriff sie ihre Umhängetasche mit Paß, Visum und Gesamtvermögen, denn sooo gut kannte sie Rusty nun wieder auch nicht.

»I'll be back in a minute«, versprach sie ihm und lief die Treppe hinunter.

Die Türen waren unverschlossen.

Im Garten sangen die Vögel um diese frühe Morgenstunde genauso emsig wie in Preußen, nur eben ganz andere Melodien. Sie ging über einen Teppich von zerfetzten, roten Blüten zum Gartentor hinauf und auf die Straße.

Im selben Augenblick hatte sie Rusty und den Skorpion vergessen.

Übrigens trug sie noch ihr Nachthemd. Es war knöchellang und buntgestreift. Und wer störte sich hier schon daran, ob es ein Kleid für die Nacht war oder für den Tag.

Auf den buckligen, staubbedeckten Steinen der Straße aalte sich Herodes, zu faul, um aufzustehen. Aber er klopfte ein paarmal mit dem Schwanz, und die Ohren zuckten, als sie ihn ansprach. Seine Bernsteinaugen verfolgten Rieke ein Stück die Dorfstraße hinauf.

Hähne krähten, so viele Hähne. Die feuchte Morgenluft legte sich kühl auf ihre Sonnenbrände.

Was für ein Morgen.

Ein ländlicher Morgen wie vor 1000 Jahren.

Die rotbraune Sau schnorchelte in der selbstgewühlten Kuhle unter ihrem Dornenstrauch. Ihre Ferkel flitzten über ein Grundstück, das nur aufgewühlte Erde war um einen großen, rotblühenden Baum herum. Er beschattete eine Hütte mit Wellblechdach, gerade hoch genug, um sich beim Hineingehen nicht den Kopf anzustoßen. Sie war die Wohnung für eine kinderreiche Familie, Hühner, Puter, Katzen und einen Hund, der zusammen mit den kleinen Mexicanitos an die Straße rannte, um die fremde Rieke anzustaunen.

Sie trugen blütenweiße Kittel. Für Rieke würde es immer ein Wunder sein, wie die Frauen in diesem staubigen, wasserarmen Land es fertigbrachten, ihre Männer und ihre zahlreiche Brut so proper aus ihren primitiven Behausungen zu entlassen.

Ein Junge schoß im Leerlauf auf seinem Motorrad vorbei, schaute sich nach ihr um, bis eine Kurve ihn verschluckte.

Rieke stieg höher und höher, und der Blick auf den See wurde immer weiter. Palmenköpfe überragten giraffenhalsig das Dickicht und die weißen und bunten Häuser dazwischen. Grüne Ufer in der Morgensonne. Die silberne Glatze des Popocatepetl in der Morgensonne.

Rieke in der Morgensonne ziellos in diese Ländlichkeit hineintrödelnd.

Wann hatte sie sich das letzte Mal so frei, so zufrieden, so angenehm unwichtig gefühlt –?

Leben war manchmal richtig schön . . .

Auf dem Heimweg kam ihr zuerst ein ausgerissener Esel entgegen, er schleppte seinen Strick hinter sich her.

Dann sah sie Bob auf der Straße, die sie vorhin gegangen war. Sie winkte ihm zu.

»Warte, ich komm runter.«

Rieke rannte in ihrem bunten Nachthemd in ihrer

Morgenfröhlichkeit, die Handtasche mit ihrem Vermögen unter den Arm geklemmt, über Steine hopsend, Gestrüpp und Kakteen ausbiegend, auf ihn zu.

Für das letzte Stück Abhang reichte er ihr die Hand und ließ sie dann nicht mehr los.

Sie standen – ineinander versunken – mitten auf der Straße in der Morgensonne, und es schien beiden unmöglich, sich jemals wieder voneinander zu trennen.

Einmal öffnete Bob die Augen, während er sie küßte. Rieke hatte die Wimpern fest zusammengekniffen. In ihrem Haarschopf sprenkelten bronzene Lichter.

Sie war so anschmiegsam.

Sie rührte und erregte ihn.

Sie war so gar nicht für die leichte Schulter.

An Rieke konnte man kratzen, so gründlich man wollte, sie blieb durch und durch echt.

Vielleicht war es das Echte, was ihm an ihr so sehr gefallen, ihn aber instinktiv zurückgehalten hatte ... Es war zuviel Charakter in dem Mädchen. Sie bedeutete mehr Verantwortung, als er hatte tragen wollen.

An diesem klaren, heiteren, ländlichen Morgen mitten auf der Landstraße schliefen all seine Bedenken ein, zumindest die Bedenken.

Er spürte plötzlich einen leichten Widerstand in seinen Armen, ein Aufmucken ihres Körpers und unter Küssen ein unverständliches Murren.

»Was?« küßte er. »Was hast du gesagt?«

Rieke machte sich von ihm frei und sah ihm geradeaus in die Augen . . .

Sagte: »*Kumpel –!!*«

Und wie nachtragend das klang.

Sie gingen durch das offene Tor in den Garten. Die Morgensonne hatte das Gras getrocknet. Im Gras leuchteten abgefallene Limonen. Eidechsen spielten über weiße Hauswände.

Sie gingen durch die Küche und den langen, leeren Saal hinter der Veranda bis zur Treppe und über die Treppe auf die obere Terrasse. Und umarmten sich und gingen umarmt durch die weitgeöffneten Gazetüren in Riekes Schlafzimmer.

Hier hatte Rusty einen Altar aufgebaut.

»Rusty!« erinnerte sich Rieke. Den hatte sie ganz vergessen gehabt.

»Wer ist Rusty?« fragte Bob.

»Kennst du nicht. Ein junger Amerikaner von heute früh.«

»Bei dir?«

»Ich dachte zuerst, es wäre Pepe – den Umrissen nach.«

Sie betrachteten gemeinsam Rustys feierliches Arrangement. Da war zuerst ein Blatt Papier, auf dem er die plattgetretenen Reste des Skorpions aufgebahrt hatte mit weißsternigen Jasminblüten rechts und links. Sehr stimmungsvoll. Dahinter war ein Schreiben an Riekes Sonnenöl gelehnt. Auf deutsch übersetzt, lautete es folgendermaßen:

»Hi – Kraut!

Ich habe mir aus der Brieftasche Deines Freundes etwas Reisegeld genommen und aus der Eisbox das Nötigste. Keine Sorge, zum Frühstück ist noch genug für Euch da. Viel Glück –« und darunter, zum Weinen korrekt: »Yours sincerely Rusty.«

Der Brief hatte noch ein Postskriptum:

»Vergiß nicht, ein Skorpion kommt selten allein.«

Bob ließ nach dieser Lektüre seine brandneue Liebe im Stich und rannte in sein Zimmer. Er kam gleich darauf mit einer Brieftasche wieder. Kein einziger Schein fiel mehr heraus und keine Kreditkarte. Wenigstens hatte ihm Rusty seine Ausweise gelassen.

»Dein Gringo«, sagte er klagend.

»Was ist ein Gringo?« fragte Rieke, von der Pleite ablenkend.

»Der mexikanische Spitzname für einen Nordamerikaner.«

Es tat ihr so wahnsinnig leid. Sie sagte es ihm.

»Ach, komm«, sagte Bob und zog sie in seine Arme, »laß uns bloß jetzt nicht an das Scheißgeld denken.«

Sie küßten sich.

»Wieviel war's denn?«

»So an die zweitausend Pesos.«

Sie küßten sich von neuem.

Rieke spürte an Bobs Kuß, daß er etwas sagen wollte, aber er sagte es nicht – und dann sagte er es doch.

»Mein bestes Jeanshemd hat er auch mitgehen lassen.«

Beide sahen ein: so hatte es keinen Sinn.

Warum auch? Sie hatten ja noch so viel Tag und Nacht vor sich, so viel ungestörte Zweisamkeit . . .

Und sie beschlossen, erst einmal schwimmen zu gehen.

Manchmal war das Leben wirklich unheimlich schön. Und das Liebhaben. Und das Lieben. Und die Erschöpfung hinterher. Und das Liebhaben. Und das Lieben ... und das unerschöpfliche Wundern darüber, daß es so sein konnte ...

Als ihre Vorräte ausgingen, fuhren sie nach Cuernavaca zum Einkaufen. Rieke bezahlte. Rieke lud Bob großzügig zu einem Drink in den Garten eines Luxusrestaurants ein, wo bunte Papageien an Handschellen auf Ständern saßen und Edelreiher frei herumstolzierten.

Es gab hier mehrere Mexikanerinnen, die optisch an Isabella und an ihre Pflicht, sie anzurufen, erinnerten. Aber sie schoben es immer wieder vor sich her.

»Wer weiß, vielleicht taucht Pepe doch noch auf ...«

Bob hatte das Motorboot klargemacht. Rieke finanzierte das Benzin.

Sie saßen bis spät in die Nacht auf der Veranda. Ein Stück von ihnen entfernt lag Herodes und schlief nicht, weil immer auf der Hut.

Bob hatte ihr Bett aus dem muffigen heißen Zimmer unter den Sternenhimmel geschoben.

Wer immer daran dachte, daß sie sich auf der verzweifelten Suche nach einem geflüchteten Fünfzehnjährigen und seiner kleinen Familie befanden, sagte es nicht dem anderen, um nicht sein Glück zu trüben.

Mein Glück – Dein Glück –
und Herodes profitierte davon.

Am Ende der dritten Nacht im Haus am See hatte Friederike einen scheußlichen Traum. Das war zur gleichen Zeit, als Herodes auf der Straße, die an ihrem Grundstück vorbeiführte, von einem Lastauto angefahren wurde.

Sie hörte sein jämmerliches Schreien, ohne aufzuwachen. In ihrem Traum war es Pepes Baby, das schrie. Malinche hockte bettelnd mit ihm am Straßenrand. Da kam Rusty vorbei und mauste ihnen ihre Tageseinnahme.

Darüber war Rieke so empört, daß sie mit beiden Fäusten auf den neben ihr liegenden Bob einhämmerte und »So ein gemeines Schwein!« brüllte.

Bob fing ihre Handgelenke ein und schüttelte Rieke, bis sie aufwachte. »Es ist was mit Herodes passiert, »sagte er und sprang aus dem Bett.

Das Schreien war in Winseln übergegangen.

Sie fanden ihn in der Garage, in der er übernachtete und seine gestohlenen Schätze versteckte. Sein Gewissen war schlecht, als er Bob und Rieke auf sich zukommen sah. Er hatte Angst, sie würden ihn bestrafen, weil er in das Auto gelaufen war.

Es hatte ihn am Hinterlauf erwischt.

»Scheint gebrochen zu sein. Wir müssen ihn zum Tierarzt bringen. Kennst du einen?«

»Ja«, sagte Bob, »aber nur in der City.«

Sie sahen sich an und dachten beide das gleiche. Einmal mußten sie ja doch in die Stadt zurück.

Packen. Betten abziehen. Küche aufräumen. Eisschrank abstellen.

Bob vertäute das Boot und die Wasserskier. Er verschloß Fenster und Türen einbruchsicher. Seine Sympathie für jugendliche Tramps hatte merklich abgenommen, seit er von Riekes Gespartem leben mußte.

Rieke pflückte noch einen Korb voll grüner Limonen und plünderte die Bananenstaude, während Bob das Unfallopfer im Wagen verlud.

Herodes stellte sich an, als ob er lebendig gebraten

werden sollte. Erst vom Auto angefahren und dann auch noch in einem drinliegen müssen –!

»Wir sollten seine Leute benachrichtigen«, sagte Rieke.

»Herodes hat keine Leute.«

»Aber er hat einen Namen und ein Halsband.«

»Die stammen von dem alten Tramp, mit dem er gekommen ist. Und den gibt es nicht mehr.«

Sie schaute zurück, solange noch ein Zipfel vom See und seinen grünen Ufern zu sehen war.

»Hier hätte ich es ohne Schwierigkeiten ein halbes Jahr ausgehalten ... mit dir, Bob. Aber ohne Skorpione.«

Sie hatten keine, aber so überhaupt keine Lust, nach Mexico City zurückzukehren.

»Kennst du die Karibische See?« fragte er.

»O ja«, sagte Rieke, »aus dem Fernsehen.«

»Aber die Farben stimmen nicht«, sagte er.

»Das kann ich nicht beurteilen«, sagte sie. »Unser Apparat hat sowieso Gelbstich. Wie sind sie denn?«

»Irre.«

»Wie irre?«

»Indigoblau-türkis-smaragd – alles auf einmal. Kurz vor Sonnenuntergang färben sich die Wolken darüber orangerot und der Himmel kriegt einen violetten Stich.«

»Ich halt's nicht aus.«

»Ach, weißt du, zwischendurch ist ja auch mal schlechtes Wetter –« Er überlegte. »Wir sollten nach Cancun fahren oder nach Cosumel. Kilometerlanger weißer Pulversand – Pelikane ziehn vorbei –. Und nachts –«, der Amateurpoet für Touristikwerbung legte den Arm um Riekes Schulter. »Stell dir das Meer nachts bei Mond als eine einzige Quecksilberfläche vor. Und darin schwimmen die schwarzen Schatten der Wolken.«

Bob war über sich selbst erschrocken, als er seinen Prospekttext beendet hatte, versicherte jedoch: »Trotzdem ist es unheimlich schön. Es gibt keine schönere See als die Karibik.«

Rieke überlegte: »Man müßte Pepe dazu bringen, daß er ans Karibische flüchtet.«

»Ja«, sagte Bob, »und dann suchen wir ihn da – Ort für Ort, und wo es besonders schön ist, suchen wir ihn besonders gründlich – mindestens acht Tage...«

»Träumen macht Spaß«, sagte Rieke träumend.

»Wieso träumen?« widersprach er, während sie in die Sierra Madre hinaufkurvten. Das Tropische hörte auf. Kaum noch ein Palmenhals.

Rieke begann zu frieren und angelte hinter sich nach ihrer Jacke, aber das Unfallopfer Herodes lag darauf. Na, schadete nichts. Ringelte sie sich eben zum Wärmen um Bob herum. Er machte gerade Pläne.

»Wenn wir ankommen, bringen wir den Hund zum Tierarzt. Dann rufe ich zu Haus an, damit wir wissen, was sich inzwischen getan hat. Dann fahren wir zum Reisebüro und buchen den nächsten Flug an die Karibik. – Okay?«

Herodes wurde zu jenem Veterinär gebracht, der auch Isabellas Hunde behandelte.

Herodes mit seinem stark ausgeprägten Mißtrauen zum ersten Male beim Arzt. Das Entsetzen, der ernstgenommene Mittelpunkt von Wildfremden zu sein, die ihn überall anfaßten, rief beinah eine Totenstarre bei ihm hervor.

Bevor sein gebrochenes Bein geschient wurde, wurden die letzten Reste Leben im armen Hündchen auch noch durch eine Narkose lahmgelegt.

In der Zwischenzeit telefonierte Bob mit seinem Vater und versorgte Rieke anschließend mit den neusten Nachrichten: »Vor einer halben Stunde hat Isabellas Bruder aus Guanajuato angerufen. Enrique behauptet, Pepe dort gesehen zu haben. Der Alte will, daß ich sofort nach Hause komme.« Während er das Bündel Hund zu seinem Wagen zurücktrug, sagte er: »Hast du dir mal überlegt, was ich jetzt mit ihm anfangen soll?«

»Ihn gesund pflegen, was sonst?«

»Und dann? Ihn wieder am See aussetzen, nachdem er sich an uns gewöhnt hat und an geregelte Mahlzeiten? Vielleicht bringe ich ihn zu einer Amerikanerin. Die hat vor zwei Jahren mit einem verletzten Straßenköter angefangen. Inzwischen hat sie einundzwanzig!« Und mit einem Seitenblick auf Rieke: »Ähnliches wäre zu befürchten, wenn du hier ständig lebtest.«

Sie widersprach nicht.

Auf einer der Straßen, die die Stadtautobahn überquerten, ging ein Luftballonverkäufer. Hundert wippende, bunte Ballons gegen einen dunkelvioletten Gewitterhimmel.

»Warum behältst du Herodes nicht selbst?« überlegte Rieke. »Du gehst doch jetzt nicht mehr nach Deutschland zurück.«

Bob ging nicht mehr nach Deutschland zurück. Als sie es ausgesprochen hatte, wurde ihr klar, was das bedeutete: noch sieben gemeinsame Tage und keine Chance, sich vor seinem nächsten Europaurlaub in zwei, drei Jahren wiederzusehen. In zwei, drei Jahren geschah viel, wenn man jung war. Mädchen, die der Erinnerung an eine kurze Liebe-ohne-Hoffnung ihr weiteres Leben zu weihen bereit waren, gehörten wohl der Vergangenheit an. Rieke hätte selbst in vergangenen Zeiten keine lebenslänglich Verzichtende abgegeben.

»Du denkst so sichtbar nach«, sagte Bob, der gerade einen Abschleppwagen überholte, welcher sich bemühte, einen anderen Abschleppwagen abzuschleppen. »Was ist los?«

Das Gewitter war jetzt über ihnen. Der Sturm wirbelte Staub und Schmutz durch die Luft. Dann brachen die Wolken, und die Scheibenwischer schafften kaum die Wassermassen. Sie fuhren blind.

»Ich will dir sagen, Bob, woran ich denke – an ein stilles, vergammeltes, weißes Haus in einem duftenden, verwilderten Garten an einem großen, braunen See. Es war so schön da . . .«

8

Isabella Taschner war keineswegs entzückt von Herodes. Das hatten weder Bob noch Rieke erwartet. Herr Taschner nahm überhaupt keine Notiz von ihm, nur die Hündchen erregten sich über seine Ankunft so sehr, daß ihre Augen wie Gummibälle an der Strippe aus den Höhlen sprangen. Fand Friederike.

»Pepe ist also in Guanajuato gesichtet worden?« fragte Bob nach der Begrüßungsumarmung.

»Ja«, sagte sein Vater.

»Es war ein Irrtum«, widersprach seine Frau entnervt. »Wie oft soll ich dir noch sagen, daß sich Enrique geirrt hat!? Ich habe gerade eben mit ihm telefoniert. Bitte, ruf ihn selbst an, er wird es dir bestätigen!«

Taschner stieß ein skeptisches Lachen durch die Nase, was besagen sollte: Du und dein Bruder, ihr steckt doch unter einer Decke.

Die beiden gaben sich keine Mühe mehr, ihren Haß aufeinander zu verbergen.

»Haben Sie inzwischen etwas von Malinches Vater gehört?« fragte Rieke.

»Es könnte doch sein – ich meine, wenn er auch seine Tochter und das Baby sucht . . . Ich hatte heute nacht einen schrecklichen Traum . . .«

»Oh, Sie Arme«, unterbrach Herr Taschner, besorgt, Rieke könnte mit ihrem Traum ausführlich werden. Und zu Bob gewandt: »In zehn Tagen beginnt seine neue Schule.«

»Dein Vater macht sich nur Sorge wegen diesem Internat«, beklagte sich Isabella. »Aber zuerst einmal muß der arme Pepito gefunden werden. Inzwischen sucht ihn meine gesamte Familie im ganzen Land.«

Bob überlegte, daß das zahlenmäßig dasselbe sein müßte, als wenn man die mexikanische Polizei in Alarmbereitschaft setzen würde. Laut sagte er: »Wie schön, dann braucht ihr mich ja nicht mehr dazu. Dann kann ich endlich unserem Gast Mexiko zeigen. Viel hat sie bisher noch nicht gesehen.« Er nahm die Reisetaschen in eine Hand und legte die andere um Riekes Schulter. »Ihr entschuldigt uns jetzt?«

»Isabella hat aber eben Augen gemacht«, sagte Rieke, als sie zu ihren Zimmern gingen.

»Wieso?«

»Unseretwegen. Eine Frau spürt doch so was. – Wirst du hier eigentlich wohnen bleiben?«

»Nein«, sagte Bob. »Solange ich nur zu Besuch herkam, war es selbstverständlich. Aber doch nicht, wenn ich hier lebe! Ich suche mir irgendwo ein Apartment.«

Er begleitete Rieke in ihr Zimmer und sah ihr beim Auspacken der Reisetasche zu.

Und machte Pläne für die Karibik.

Plötzlich stand sein Vater in der Tür. Quer über seinen steifen Armen hing das narkotisierte Unfallopfer.

Er entschuldigte sich bei Rieke für sein Eindringen und sagte zu Bob: »Ich bin fast sicher, daß sich Pepe in Guanajuato aufhält. Fahr hin und hole ihn. Auf dich hört er vielleicht – und auf Sie, Fräulein Birkow.«

Rieke war überwältigt von so viel unverhoffter Wertschätzung.

»Tut mir leid, Vater, aber wir fliegen morgen nach Yucatan. Seit ich in Mexiko bin, bin ich für dich auf Reisen. Jetzt möchte ich endlich auch einmal . . .«

»Guanajuato ist eine der malerischsten Städte des Hochlandes, entworfen nach den Bautheorien der spanischen Renaissance . . .«, unterbrach ihn der Alte, wobei er sich fast werbend an Rieke wandte. »Es wird Ihnen sicher gefallen.«

»Also schön«, fluchte Bob, »fahren wir nach Guanajuato. Aber wer garantiert uns, daß Pepe – sollte er sich im Augenblick dort wirklich aufhalten – auch noch da ist, wenn wir ankommen?«

»Garantieren kann man gar nichts«, sagte der Alte

und fügte bedauernd hinzu: »Dann müssen wir eben weitersuchen. Was wird übrigens hiermit?« Er meinte Herodes, der bei aller Magerkeit zu einer spürbaren Last in seinen Armen geworden war. »Ihr habt ihn vorhin vergessen. Er lag im Stuhl wie ein abgelegter Hut. Ich habe ihn durch Zufall gesehen. Sonst läge er immer noch da.«

Rieke und Bob murmelten Bedauern.

»Was soll aus ihm werden?« fragte Herr Taschner und sah forschend von einem zum anderen.

»Wir nehmen ihn mit auf die Reise.« Rieke wollte ihm den Hund abnehmen, aber er wich mit Herodes vor ihren Händen zurück. Und war verärgert.

»Das ist doch Quatsch! Tierquälerei. Den kaputten Hund die ganze Zeit im Auto.« Danach ging er grußlos fort und nahm Herodes mit.

Sie sahen die beiden nicht wieder bis zu ihrer Abfahrt am nächsten Morgen.

Endlose Ketten von Wolkenbergen hingen schwer über den endlosen Bergketten in der mageren Weite. Der tiefe Himmel glitzerte in einem Wasserloch. Und sie waren ganz allein.

Kein Auto begegnete ihnen hier oben und kein

breitrandiger, kurzbeiniger Bauer auf seinem Esel. Nur einmal stand ein Dreimannorchester mit Pauke am Straßenrand der Welt und wartete auf eine Beförderungsmöglichkeit. Der Trompeter kämmte seinen Schnurrbart im Glanze eines Taschenspiegels.

Rieke lachte plötzlich.

». . . und weißt du, wem ich das alles zu verdanken habe? Dem Sixten.«

»Wieso Sixten?«

»Stell dir vor, er hätte einen anderen als dich aus dem Sepplhut gezogen.«

». . . dann wären dir viele, viele Kilometer erspart geblieben.«

»Dann wäre ich dir erspart geblieben.«

»Ja, das auch«, sagte Bob und zog Rieke zu sich herüber. »Du sitzt viiiel zu weit entfernt von mir.«

Im selben Augenblick tauchte am vorderen Horizont ein Überlandbus auf und kurz hinter ihm ein Lastauto.

Beide Fahrer hupten zustimmend, als sie an Bob und Rieke vorüberfuhren.

Nach mehrstündiger Fahrt durch einsames Hochland erreichten sie die Universitätsstadt Guanajuato.

Bob fragte sich nach dem Hotel durch, das Isabella Taschners Bruder Enrique gehörte.

Es handelte sich um einen Palast im neomaurischen Stil mit einem Parkplatz, auf dem ein Zirkus samt Artistenwagen Platz gefunden hätte. Zur Zeit graulte sich ein einziger Landrover aus New Orleans auf ihm.

Im Swimming-pool blühte Entengrütze, und als sie die bombastische Empfangshalle betraten, schnupperten sie Moderluft.

Die unaufhaltsam verwitternde Pracht regte Rieke zu einem staunend gemurmelten »Au Backe« an.

»Isabella hat mir gar nicht erzählt, um was für ein florierendes Unternehmen es sich bei diesem brüderlichen Hotel handelt«, sagte Bob.

»Vielleicht ist gerade keine Saison.«

»Glaubst du, daß in diesem Mausoleum jemals Saison war?«

»Glaubst du, daß Pepe sich hier aufhält?«

»Platz hätte er genug.«

»Aber Malinche und das Baby in dieser Gruft? Wo frische Mütter so leicht Depressionen kriegen? Nein. Wenn du mich fragst, sie sind nicht hier, nie hier gewesen. Dafür lege ich meine Hand ins Feuer«, sagte Rieke entschieden.

In der Rezeption langweilten sich mehrere Angestellte. Bob erkundigte sich nach einem Doppelzimmer. Wie erwartet, war das Hotel nicht ausverkauft.

Während er das Anmeldeformular ausfüllte, fragte

er beiläufig, ob der junge Señor Taschner aus Mexico City zufällig im Hause weile oder ob er ausgegangen sei.

Die Rezeptionssekretärin sagte etwas zu dem Portier, der Portier sagte etwas zu einem Boy, der Boy sagte etwas zu Bob.

»Was hat er gesagt?« fragte Rieke.

»Wir sollen mitkommen.«

Sie nahmen an, daß er ihnen ihr Zimmer zeigen wollte. Es war ein weiter Weg. Alles in diesem Hotel war von größenwahnsinnigen Ausmaßen, pompös umbauter Leerlauf.

»Hier kriegen selbst die Ratten müde Füße«, meinte Rieke.

Der Boy öffnete eine Tür und ließ sie in einen verdunkelten Raum eintreten: das Fernsehzimmer. Flackernde Lichter und mexikanischer Männerstolz stürmten über den Bildschirm. Es handelte sich offenbar um patriotische Historie.

Aus einem der dunkellila TV-Sessel erhob sich Pepe, der einzige Zuschauer, und sagte erfreut, aber ohne Verwunderung: »Da seid ihr ja.«

Rieke, die noch vor wenigen Minuten ihre Hand dafür ins Feuer legen wollte, daß er nicht hier war, fiel ihm erleichtert um den Hals. »Haben wir dich endlich gefunden.«

Bob stellte inzwischen das TV-Drama ab und riß die Vorhänge von den Fenstern.

»Wie war die Fahrt?« fragte Pepe.

»Du scheinst uns erwartet zu haben.« Die Ruhe in Bobs Stimme war keine gute Ruhe.

»Mama hat mich am Telefon auf euch vorbereitet.«

»Sie weiß also, daß du hier bist.«

»Ja, seit gestern.« Pepe beschwor sie im gleichen Moment: »Aber Papa darf es nicht wissen!«

»Enrique hat es ihm am Telefon gesagt.«

»Das war Pech. Aber inzwischen hat er es widerrufen.«

»Wo warst du vorher?« fragte Bob.

»In Puerto Vallarta, es hat pausenlos geregnet. Da bin ich nach Guanajuato . . .«

»Und Malinche? Und das Baby?« fragte Rieke. »Sind die auch hier?«

Pepe fühlte sich durch ihre direkten Fragen angegriffen wie bei einem Verhör. Er mochte das nicht.

»Nein, wieso fragst du?«

»Reines Interesse«, sagte Bob. »Das steht uns, glaube ich, zu.«

»Wo ist Malinche?«

»Bei ihrem Vater.«

»Die ganze Zeit über?«

»Ja.«

»Das Baby auch?«

»Ja. Ja, natürlich. Wo sonst?«

Rieke war erschüttert. Sie ging ganz nah mit ihrer Frage an Pepe heran. »Du bist überhaupt nicht mit ihr geflohen?«

»Nein.« Jetzt schaute er verwundert. »Wie kommst du denn darauf?«

Bob und Rieke sagten eine Weile gar nichts. Sie kamen sich so lächerlich vor. Von ihrer eigenen, besorgten Phantasie an der Nase herumgeführt. Auf die Schippe genommen. Vor allem Rieke. Bob stellte schließlich die interessante Frage: »Warum bist du dann überhaupt getürmt?«

»Na, wegen dem Internat«, sagte Pepe. »Glaubt ihr vielleicht, ich habe Lust, nach Deutschland zu gehen? Wenn ich verschwunden bin, kann mich Papa nicht dazu zwingen. Darum bleibe ich verschwunden. Mamita ist auf meiner Seite. Ich bleibe in Mexiko und gehe wieder auf meine alte Schule zurück.«

»Kannst du das überhaupt noch – nach allem?« fragte Bob.

»Warum nicht? Mir hat man ja nichts angesehen.«

Er hatte einen Scherz gemacht und erwartete eine Reaktion darauf. Sie blieb aus. Er spürte nur Ablehnung.

Sie stellten auch keine Fragen mehr an ihn.

Sie hatten sich plötzlich von ihm abgekehrt. Warum? Er hatte sie doch gern. Ohne ihn wäre Rieke gar nicht nach Mexiko gekommen, vielleicht niemals in ihrem Leben. Was war los mit ihnen?

Pepe warb um sie. Er fragte, ob sie schon ihre Zimmer gesehen hätten? Ob er ihnen einen Drink kommen lassen dürfe? Vielleicht einen Tequila sour?

Er wollte ihnen eine Silbermine vorführen, die heute noch in Gang war. Das Theater zeigen. Die Universität. Das ehemalige Haus seines Großonkels. Die Markthalle.

»Nein danke«, sagte Bob. »Wir finden uns schon selbst zurecht.«

Aber vielleicht die fabelhaft erhaltenen Mumien aus der Zeit der Revolution, die man in den Silberstollen stehend aufbewahrt hatte, weil auf dem Friedhof kein Platz für sie gewesen war? Darunter Gehenkte und Schwangere. Manche hatten noch ihre Haare und ihre Kleidung an.

»Nein, danke«, sagte Rieke.

»Man hat sie jetzt hinter Glas stellen müssen. Zu viele Besucher haben sich Souvenirs von ihnen abgepflückt.«

Bob sah Rieke an. »Ich denke, wir machen uns auf die Socken. Vor allem suchen wir uns ein anderes Hotel.«

Sie verließen den Fernsehraum und gingen durch die langen, leeren, modrig riechenden Gänge zur Empfangshalle zurück. Pepe begleitete sie.

»Es ist wahnsinnig langweilig hier«, sagte er. »Wo

wollt ihr denn noch hin? Vielleicht können wir was gemeinsam unternehmen.«

Bob blieb stehen und sah ihn an, als ob er etwas ganz Dummes gesagt hätte. »Gemeinsam?«

»Na ja, wir haben doch immer – in München – in Berlin – und . . .«

»Weißt du, wo Malinche jetzt ist?« unterbrach ihn Rieke.

»Bei ihrem Vater. Sagte ich euch doch.«

»Aber wo ist das?«

»In San Miguel de Allende.«

»Sind wir auf der Herfahrt da nicht durchgekommen?« erinnerte sich Rieke.

»Hast du sie inzwischen gesprochen?« fragte Bob.

»Wir telefonieren manchmal. Ester hatte zwei Tage Dünnpfiff, aber jetzt geht es ihr wieder gut.«

»Gib uns Malinches Adresse«, sagte Bob.

»Wieso? Wollt ihr sie besuchen? Das geht nicht – ihr Vater ist da . . .« Er lief ihnen nach. »Warum habt ihr es so eilig? Wollt ihr nicht wenigstens Onkel Enrique begrüßen?«

Bob und Rieke antworteten nicht mehr. Sie gingen über den Parkplatz auf ihren Wagen zu.

Pepe war stehengeblieben. Sah ihnen nach.

»Rieke!« rief er. Vor ein paar Tagen noch hatte sie so viel Verständnis für seine Lage gezeigt, soviel Herzlichkeit für ihn aufgebracht. Sogar mit ihm geheult. Was hatte er denn inzwischen verbrochen? War es seine Schuld, wenn er nicht mit Malinche und dem Baby zusammen sein durfte? Was sollte er denn machen?

Dazu das Versteckspiel wegen diesem blöden Internat. Er hatte es wirklich schwer . . .

Und dann fiel ihm etwas ein. »Rieke!« rief er noch einmal. Sie sah sich nach ihm um, ehe sie in den Wagen stieg.

Pepe – einsam und rundlich auf dem riesigen Parkplatz.

»Was ist denn?«

»Ich hab ganz vergessen, dir zu sagen, daß dein Telegramm angekommen ist. Mamita hat's mir heute mittag am Telefon erzählt.«

»Na endlich. – Danke, Pepe. Lebwohl!«

Sie war sehr schweigsam, als sie durch die Stadt fuhren.

»Schließlich ist er doch noch ein Kind. Er tut mir leid.«

Jeder arme Händler tat ihr leid. Jede Indiofrau, die schwere Lasten schleppen mußte. Jeder einsame

Greis. Jedes bettelnde Kind. Jeder herrenlose Hund. Jeder Strauch, der nicht genügend Wasser kriegte. Jede Handarbeit, die so viel Mühe gekostet hatte und keinen Käufer fand – – selbst dieser verwöhnte, verzogene Pepe.

»Du und dein Mitleid«, sagte Bob.

In einem ehemaligen, von durchsonnten Gärten umgebenen Kloster aus der Kolonialzeit befand sich heute eine Kunstschule für Malerei, Musik, Tanz, Silberschmiede . . . Hier war Malinches Vater als Lehrer tätig. Außerdem gehörte ihm eine Galerie im Ort. Dieser Ort San Miguel de Allende war ein verträumtes Provinzstädtchen, einst wohlhabend erbaut. Hier hatten die Silberbarone von Guanajuato ihre Besitzungen erreicht, auch Isabellas Vorfahren.

Bob und Rieke schauten eine Weile durch die Ladenscheibe. Im Hintergrund des Ausstellungsraumes sahen sie ein junges Mädchen sitzen. Es trug ein langes, handgewebtes Kleid und hatte den Kopf über ein Buch geneigt. Offensichtlich lernte es Vokabeln.

»Das könnte sie sein«, meinte Rieke. »Wenn sie doch mal herschauen wollte.«

»Kennst du sie?«

»Nur von Fotos. – Kennt sie dich?«

»Persönlich nicht«, sagte Bob, und so schlenderten sie wie zufällige Touristen in die Galerie hinein.

Das Mädchen sah auf und grüßte lächelnd.

Bob fragte auf spanisch, ob sie sich ein bißchen umsehen dürften. Das Mädchen nickte und kehrte zu ihren Vokabeln zurück.

Sie schauten interessiert an den Bilderwänden entlang und hatten doch nur das Mädchen im Auge.

Was meinst du?« fragte Bob, der noch zweifelte.

»Ganz bestimmt. Frag sie, ob sie die Tochter des Galeriebesitzers ist.«

Sie trennten sich. Bob ging auf das Mädchen zu und sagte etwas zu ihr. Sie lachten miteinander.

Einmal schaute er zu Rieke herüber und nickte. Es war Malinche.

Als ob sie das nicht vom ersten Augenblick an ge-wußt hätte.

Das Gespräch zwischen den beiden wurde intensi-ver und auch sachlicher im Ton. Bob zeigte auf ein Bild, das in einer Nische hing. Malinche ging hin und nahm es ab. Sie betrachteten es von verschie-denen Lichtwinkeln aus.

Rieke erkannte von weitem nur so viel: es handelte sich um ein sitzendes Mädchen im Halbprofil.

Malinche suchte unter ihrem Tisch nach Packpa-pier und Schnüren. Bob leerte seine Brieftasche aus, rechnete, kam nicht zurecht, stopfte alle

Scheine in sie zurück und stellte einen Scheck aus. Malinche sah ihm dabei aufmerksam zu.

Sie strahlte vor Freude über ihr selbstgetätigtes Geschäft, als sie ihm das eingewickelte Bild reichte.

Malinche brachte Bob und Rieke zur Tür. Beim Verlassen der Galerie stießen sie mit einem großen, dunkelhäutigen Mann zusammen. Er war etwa vierzig Jahre alt.

Der Mann wechselte einen kurzen Blick mit Rieke.

Dann waren sie auf der Straße und er war in den Laden hineingegangen.

»Halt mich fest, Bob«, sagte Rieke.

»Warum?«

»Hast du den tollen Mann gesehen?«

»Ja – natürlich.«

»Ob das ihr neuer Freund ist?«

»Blödsinn, das war ihr Vater.«

»Niemals. So fabelhaft sehen keine Väter aus.«

»Der schon. Auf dem Schreibtisch lag ein Katalog mit seinem Foto.« Er grinste. »Willst du vielleicht noch mal zurückgehen?«

»Ach, weißt du«, sagte Rieke, »für die kurze Zeit, die ich noch hier bin, hatte ich eigentlich nicht die Absicht, dich gegen einen anderen einzutauschen.«

Sie gingen zu ihrem Wagen zurück.

»Schade, daß sie das Baby nicht bei sich hatte. Ich hätte es gern gesehen.«

»Ich auch«, sagte Rieke beim Einsteigen. »Du hast ein Bild gekauft.«

»Ein Porträt von Malinche. Ich zeig's dir nachher. Es wird dir gefallen. – Aber der Kerl nimmt Preise wie Picasso!«

»Warum hast du es dann gekauft?«

»Ja, warum!? Ich hab mir gedacht, wenn ich meiner Nichte schon nichts schenken kann . . .«

Als sie über die steile Straße fuhren, die aus dem Tal von San Miguel herausführte, schlug plötzlich das Lenkrad aus. Der Wagen brach krachend auf Riekes Seite zusammen. Keiner von beiden sagte ein Wort.

Bob saß einen Augenblick lang über die Maßen unlustig am Steuer. Dann stieg er aus und sah nach. Rieke beobachtete sein Mienenspiel.

»Na?«

»Achsenbruch.«

»Feierabend.«

Er stieg wieder ein.

Draußen hörten sie den Wind wehen und die

Stimmen spielender Kinder. Ein verhungerter Hund strich vorbei, aber sogar Riekes Mitleid schlief.

»Was sollen wir jetzt machen? Sag doch mal? Glaubst du, hier ist irgendwo in der Nähe eine Werkstatt?« Und als er noch immer schwieg: »Wie lange dauert denn so 'ne Reparatur?«

Bob hatte endlich einen Entschluß gefaßt. »Das ist mir scheißegal«, versicherte er und räumte den Wagen aus. »Soll sich ein anderer um ihn kümmern. Wir nicht. Den lassen wir hier stehn. Der soll meinetwegen verrotten. Oder Isabella soll ihn holen lassen. Das geht uns alles überhaupt nichts mehr an. Komm, Friederikus!«

Sie hegte keinen Augenblick Zweifel an seinem Entschluß. Sie fand ihn einfach fabelhaft.

Es war, als ob sie eine lästige Verantwortung auf den Müll geworfen hätten.

Sie dackelten voller Frohsinn nach San Miguel zurück.

Rieke trug Malinches Bild, und Bob schleuderte ab und zu ihre beiden Reisetaschen um sich herum. Dazu sang er aus vollem Hals:

>»Rieke Birkow kommt von weit her,
Rieke Birkow, die kommt seither
soviel rum.

Bob will Rieke, nichts als Rieke . . .«

Und sie:

»Dreht euch nicht um,
der Bobbo geht um.
Und Rieke ist dumm.«
»Nicht dumm«, widersprach er.
»Doch dumm«, widersprach sie ihm.
»Warum?«
Rieke sang:
»Vera kommt nach Mexiko.
Bobbo ist darüber froh . . .«
»Nö«, sagte er. »Nicht froh, nicht traurig. Im Grunde ist es mir ziemlich Wurscht. Wir haben uns ohne Ärger getrennt, verstehst du?« Er hängte einen Arm über ihre Schulter. »Es war ganz lustig mit ihr damals in München. Und ich gebe zu, ich war blödsinnig verknallt, weil . . . ja, warum? – Irgendwo hat Pepe recht, wenn er behauptet, ich wäre – was Mädchen anbelangt – manchmal ein bißchen naiv.«
Und dann trödelten sie weiter, eng umschlungen, das war manchmal schwierig, schon wegen der Taschen und des Bildes und des unebenen Pflasters, sie gerieten aus dem Gleichgewicht, aber keinen Augenblick aus dem Arm des andern . . .

Später sich daran erinnern, wie das war auf der staubigen Landstraße mitten in Mexico – ein Ölbild unterm Arm – und sich küssen und niemals damit enden wollen – und dabei diesen Wind im Ohr, diesen von weit her kommenden, warmen Wind . . .

In einem Linienbus, umgeben von kinderreichen Familien und ihren Freßkörben, reisten sie nach Mexico City zurück. Zum ersten Mal in einem Bus und nicht in einem Auto. Es war herrlich. Bob mußte nicht länger seine Aufmerksamkeiten zwischen Rieke und der Straße teilen.

Kinder tobten auf dem Gang. Hinter Riekes Sitz stand ein Knabe mit lockerem Husten und saftigen Hochziehern. Sie erfolgten in voraussehbaren Abständen. Das Warten auf diese Hochzieher versetzte Bob und Rieke in eine alberne Stimmung.

Ohne den Grund ihrer Fröhlichkeit zu kennen, lachten die umsitzenden Hochlandbewohner mit.

Auf das Busdach prasselte Gewitterregen. Die Scheibenwischer machten lauthals Pf-pf-pf-, weil preßluftig betrieben.

Im Autoradio wurde ein Fußballspiel übertragen, das sämtliche männlichen Fahrgäste – außer Bob – in den vorderen Busteil lockte. Sie hingen wie ein Bienenschwarm um den Sitz des Fahrers, der kaum noch sein Steuerrad bewegen, geschweige denn schalten konnte, aber dennoch unvermindert schnell durch das Aquaplaning der überschwemmten Landstraße schiffte.

Die Aircondition fauchte Eiswinde durch den Bus. Haare wehten. Bob und Rieke zogen alles übereinander, was sie in ihren Reisetaschen fanden. Zuletzt banden sie sich Handtücher um den Nakken.

»Was sagen wir eigentlich deinem Vater? Die Wahrheit oder lieber nicht?« fragte Rieke.

»Das Beste für alle ist es, wenn wir Pepe nicht gefunden haben. Das erspart neue Kräche zwischen ihm und Isabella, und im Grunde hat sie ja recht, wenn sie Pepe hilft, in Mexiko zu bleiben. Was soll er wirklich auf einem deutschen Internat!?«

Die Masse der Fußballfans, die am Radio des Busfahrers klebte, ächzte auf. Irgend etwas Fürchterliches mußte ihrem Favoriten zugestoßen sein.

Bob flog auf Rieke, als der Bus plötzlich scharf nach links ausscherte und einen anderen Bus überholte. Das war der Auftakt zu einem atemberaubenden Busrennen bergauf und bergab und rum um die Kurven.

Die Passagiere flogen wie Bälle umeinander. Keiner kam auf die Idee, sich deshalb beim Fahrer zu beschweren. Warum auch.

Diese Bevölkerung besaß eine stoische Geduld. Sie fand sich mit den Gegebenheiten ab.

Nach einigen Stunden glitzerte die City vor ihnen, wuchs in die Breite und die Hügel hinauf.

Bob holte Malinches Bild unter seinem Sitz hervor und legte es Rieke auf den Schoß.

Sie sah ihn fragend an.

»Für dich«, sagte er.

Sie sah ihn noch einmal fragend an.

»Nimm's als Erinnerung an die Karibik, aus der nun leider nichts mehr wird.«

Rieke begriff. Das Bild hatte Bob so viel gekostet wie zwei Hin- und Rückflüge plus fünf Tage Halbpension am Meer.

»Ach, weißt du«, sagte sie, »im Grunde ist es völlig Wurscht, wo wir sind. Hauptsache, wir sind zusammen. Und gemütlicher als in diesem Bus ist es am Strand bestimmt nicht . . . oder?«

9

Nach wenigen Tagen flitzte Herodes auf drei Beinen genauso schnell durch das Haus wie Isabellas
Hündchen, die ihn haßerfüllt verfolgten. Er war
nur gewitzter als sie. Darum erwischten sie ihn
nicht.

Gegen den Willen seiner Frau hatte Herr Taschner
ihm erlaubt, bei ihnen Hund zu werden.

Nun ging es ihm gut. Er hatte gepolsterte Schlaf-
möglichkeiten, vier Mahlzeiten am Tag – seine eigene und die der drei Zierhündchen.

Herodes hatte wirklich Glück gehabt; wenigstens
einer.

Aber immer öfter lag er auf dem Flachdach des
Wirtschaftstraktes unter wehenden, tropfenden
Leintüchern und beobachtete das Geschehen au-
ßerhalb der Gartenmauern.

»Grüß Herodes«, sagte Rieke zu Bob, als sie früh morgens auf den Abflug der Chartermaschine nach Frankfurt warteten. »Und sag deinen Eltern noch mal vielen Dank.«

»Ja.«

»Wie?«

»Ich habe ja gesagt.« Er drehte am drittobersten Knopf ihres Regenmantels.

»Es war richtig schön, weißt du.«

»Hm, hm.«

Sie schauten beide auf einen von Riekes Mitfliegern, einen Endfünfziger in einem T-shirt mit der Aufschrift ACAPULCO. Ein hoher Magen hatte die Buchstaben auseinandergezogen. Aber noch immer würde jeder zu Hause entziffern können, woher der Träger dieses Hemdes gerade kam.

Rieke starrte sich auf dem beschrifteten Wanst fest. Sie wollte nicht heulen . . .

Irgendwas Belangloses reden, um die Gefühle kühl zu halten. »Glaubst du, daß Pepe noch ins Internat muß? –«

»Nein, glaube ich nicht.«

»Bin überhaupt gespannt, was aus dem mal wird. Was glaubst du, Bob? –«

Er hatte gar nicht zugehört.

»Ich hab dich was gefragt!«

»Ja?«

»Was aus Pepe mal wird.«

»Das ist bei ihm ziemlich klar. Er wird Geschäfts-
mann. Er wird ein passendes Mädchen heiraten. Er
wird vielleicht nie wieder ein Mädchen so gern haben wie Malinche. Er wird eine Geliebte aushalten,
die Korruption mitmachen – versuchen, sich mit
jeder Regierung gut zu stellen . . .«
»Und du?« fragte Rieke.
»Ich werde noch oft an dich denken«, sagte Bob
und gab ihr den Knopf, den er inzwischen von ih-
rem Mantel gedreht hatte. Rieke steckte ihn in die
Tasche.
Immer mehr Passagiere für die Chartermaschine
nach Frankfurt stellten sich ein. Einer von ihnen
hatte eine Mexikanerin bei sich, die heulte zwi-
schen die Revers seiner Freizeitjacke.
Manchmal war das Leben gar nicht schön . . .
»Sixten wird dich abholen, nicht wahr?«
»Ja, wahrscheinlich.«
»Bin gespannt, was er zu der Tischbimmel sagt.«
»Ja.«
»Wie?«
»Ich habe ›ja‹ gesagt.«
Seine Finger strichen leicht über ihre Wange. Rieke
schloß die Augen. Das war ein Fehler. Die Lider
drückten auf ihre Tränen und brachten sie zum
Kollern . . .
»Ich hab dich so lieb«, sagte Bob. »Ich hab dich so
lieb . . .«

10

Sixten war nicht am Flughafen. Dabei hatte sie ihm Tag und Stunde ihrer Rückkehr aufgeschrieben und sichtbar an das Küchenbüffet gepinnt. Er konnte sich also nicht auf ein verlorengegangenes Telegramm herausreden.

Er war nicht da. Na schön, dann eben nicht. Dann schenkte ihm Rieke aber auch nicht die Tischglocke.

Sie wollte gerade ihr Gepäck zum Ausgang karren, als sie hinter sich ihren Namen jubeln hörte: *»Fräulein Birkow!«*

Rieke schaute sich um und sah die Oberstwitwe aus der Beletage. Links schwenkte sie einen Asternstrauß und rechtsseitig war sie schief, weil an eine rollende Kugel geleint, die sie heftig vorwärtsriß.

Nein, dachte Rieke voll Entsetzen und plötzlich auch voll Heimweh nach jenen dürren, scheuen, namenlosen Straßenhunden Mexikos, dieser gekräuselte Mast-Mops kann nicht mein Plumpsack sein.

Er war es aber und er wollte es auch bleiben. Seine

Wiedersehensfreude riß sie fast um. Dabei duftete er nach Tosca, Frau von Arnims Lieblingsparfum.

Selbige hatte kaum Zeit für Begrüßungsformalitäten. Sie bebte vor Neuigkeiten, denn:

Kosewinkels waren ausgezogen. Heimlich, über Nacht. Mit Sack und Pack. Sie hatten sich vom Hausbesitzer mit einer vierstelligen Summe dazu überreden lassen, freiwillig die Wohnung zu räumen.

Daraufhin war auch Fräulein Hellwig moralisch umgefallen und hatte die Hand aufgehalten. Sie fuhr jetzt erst einmal mit dem Bus über Wien, Plattensee nach Budapest, das hatte sie sich schon immer gewünscht.

»Anschließend zieht sie zu ihrer Schwester nach Dortmund, wissen Sie, Fräulein Birkow, wo der Mann kürzlich gestorben ist«, erzählte Frau von Arnim auf dem Wege zum Parkplatz. »Und nun stellen Sie sich vor: die Türken sind auch am Pakken. Wohin die ziehen, weiß ich leider nicht, denn ich rede ja seit dem letzten Rohrbruch nicht mehr mit ihnen.«

»Dann sind wir praktisch die letzten Mieter im Haus.« Rieke war flau im Magen.

»Ja, das heißt, ich habe jetzt mehrere Privatheime angeschrieben«, gestand Frau von Arnim. »Es gibt da ja ganz bemerkenswerte Anstalten mit regem kulturellem und geistigem Leben und sehr feinen Menschen.«

Sie schloß den Kofferraum ihres greisen Autos auf, damit Rieke ihr Gepäck verstauen konnte. Gottseidank fiel ihr nicht auf, daß ihr eigener Koffer, den sie Rieke für diese Reise geborgt hatte, nicht dabei war.

»Ich hoffe, Fräulein Birkow, Sie werden sich meinen Fahrkünsten anvertrauen.«

»Aber sicher, Frau von Arnim.« Hatte Rieke doch gerade Mexiko ohne Schramme überlebt . . .

»Wo ist eigentlich Sixten? Ist er nicht in Berlin?«

»Nein, stellen Sie sich vor, Fräulein Birkow, Herr Forster ist in Hamburg bei seinem Bruder – schon über eine Woche. Der hat eventuell etwas in Kiel für ihn in Aussicht. Na, das wäre doch wundervoll, Fräulein Birkow! Dann können Sie endlich heiraten und hätten die Kieler Woche direkt vor der Tür – ohne kostspielige Anreise.«

Da Rieke auch bisher nicht zur Kieler Woche gefahren war, machte dieser in Aussicht gestellte Vorteil nicht den erwarteten Eindruck auf sie.

Immerhin, Sixten hatte Aussicht auf eine Anstellung. Wieviel sich doch manchmal in 14 Tagen ereignen konnte! Nur vierzehn Tage – und dabei kam es ihr so vor, als ob sie ein halbes Jahr fortgewesen wäre.

»Plumpsack war also bei Ihnen in Pension?«

»Ja.« Frau von Arnim startete ein tollkühnes Überholmanöver ohne Rücksicht auf den schwachbrüstigen Motor ihres Wagens. Für eine preußische Oberstwitwe fuhr sie reichlich keck.

»Seit Herr Forster weg ist, wohnt Plumpsack bei mir. Ein zu drolliges Kerlchen. Wirklich gut zu leiden.«

»Sie haben ihn sicher sehr verwöhnt.«

Frau von Arnim wußte sofort, was Rieke damit meinte.

»Ja, nicht wahr? Er ist ein bißchen vollschlank geworden, mir ist das selbst ein Rätsel. Ich hab ihm wirklich kaum etwas zu fressen gegeben! – Wie war's denn so in Mexiko? Erzählen Sie doch mal, ach, beinahe hätte ich es vergessen!: Kurz vor seinem Auszug hat sich Kosewinkel noch mit Üskül geprügelt. Diese Kanaken –!« Und so berichtete sie in einem fort, bis sie vor dem schmiedeeisernen Portal, dessen Flügel eine rostige Kette zusammenhielt, die Bremse zog.

»Da sind wir!«

Rieke stieg aus und sah auf das Haus mit seinen Stuckverzierungen und seinen Schimmelflecken und eisernen Balkonen – die liebe, olle, herrschaftliche Bruchbude, nun endgültig zum Abriß verurteilt. Sie tat Rieke so leid.

Die Wohnung roch ungelüftet und nach abgestandenem Blumenwasser. Sixten mußte sehr eilig auf-
gebrochen sein. Nicht einmal die Schranktüren
hatte er zugemacht. In der Küche fand sie zwei
Töpfe mit Puddinganbrenne. Die nahm sie ihm
ernsthaft übel.

Auf dem Wohnzimmertisch lag ein Zettel:

»Liebe Rieke, bin in Hamburg oder Kiel. Solltest Du früher als ich nach Berlin zurückkom-
men, rufe mich bitte unter einer dieser beiden
Nummern an. Plumpsack ist bei Frau von Arnim.

Drück mir die Daumen!

Kuß

Sixten.«

Leider hatte er vergessen, die Telefonnummern
aufzuschreiben.

Rieke holte den Arnimschen Koffer unter ihrem
Bett hervor, staubte ihn ab und machte sich mit
ihm und der Tischglocke auf den Weg in die Beletage.

»Dunnerlitjen! Fräulein Birkow! Damit haben Sie
mir aber eine große Freude gemacht. Eine Tischglocke. Früher war das ja eine Selbstverständlichkeit. Wir hatten ein schönes Exemplar aus der Familie meines Mannes mütterlicherseits. Mit einem
entzückenden Engelchen als Griff. Sie stand immer
neben meinem Gedeck.«

Es folgte die zweihundertjährige Historie einer mecklenburgischen Tischglocke, die beim großen Luftangriff auf Potsdam ums Bimmeln gekommen war.

Rieke hörte noch das Glöckchen, als sie die Treppe zu ihrer Wohnung hinaufstieg. Sie sah die alte Frau an ihrem ovalen Mahagonitisch sitzen und läuten und zu derjenigen, die nicht hereinkam: »Elli, Sie können abräumen«, sagen.

An diesem Tage packte sie ihre Koffer nicht mehr aus, schaute sich auch ihre Post nicht an – ihr Bedarf an Neuigkeiten war vorerst gedeckt.

Nur Malinches Bild hängte sie so auf, daß sie es von ihrem Bett aus sehen konnte.

Sie kroch unter die Decke – zu müde, um einzuschlafen. So etwas gab es.

Dann setzte das Heimweh nach Bob ein. Es war ganz schlimm.

»Naa?« begrüßte sie Papke am nächsten Morgen.
»Biste drüben Braut jeworden?«

»Nee, aber beinah Patentante«, sagte Rieke.

»Laß dir mal besichtijen«, er nahm sie bei den Schultern und drehte sie zum Fenster. »Hast ooch schon fröhlicha aus de Wäsche jekiekt. War woll nischt drüben, wa?«

»Doch«, sagte Rieke. »War viel zuviel.«

»Ach so.« Papke begriff sofort. »Liebeskumma.«

»Geht schon vorüber«, versicherte sie ihm und sich selbst. »Geht bloß nicht von heut auf morgen.« Sie begann in ihrer tiefbäuchigen Handtasche zu graben. »Ich hab Ihnen was mitgebracht. – Da! Alte spanische Kommodenbeschläge. Wissen Sie, wo ich die gefunden habe? Auf dem Flohmarkt von Mexico City. Und wissen Sie, was es da noch gab? Eine Drehorgel auf einem Holzbein von der Firma Fratt aus der Berliner Schönhauser Allee. Die spielte Weihnachtslieder.«

»Haste Heimweh jekriegt, wa?«

»Ich kriege im Sommer nie Heimweh nach Weihnachten«, sagte Rieke. »Übrigens ist Sixten in Kiel. Er hat da was in Aussicht, und unser Haus wird abgerissen. Die Mieter haben sich bestechen lassen und ziehen aus. Es ist ein Jammer . . .«

»Mädchen«, erschrak Papke. »Sag das nicht so trübetassig. Laß dir schnellstens ooch bestechen, so

lange die noch flüssig sind. Und bisde ne neue
Bleibe jefunden hast, ziehste in Rotrauds Schwesta
ihre Laube. Die is wintafest . . .«
Er brach ab, irritiert durch ihren fast über-
schwenglichen Blick. »Is was, Kleene?«
»Nö.«
Sollte sie ihm sagen, daß er und seine Werkstatt mit
ihren vertrauten Düften und Geräuschen und fau-
len Katzen die einzige Geborgenheit in ihrem
augenblicklichen Leben ausmachte?

Zwei Tage später, nachmittags so gegen 4.00 Uhr,
läutete das Telefon. Papke hatte gerade Kunden in
der Werkstatt, mit denen er, über Zeichnungen ge-
beugt, um seinen Schreibtisch stand und lebhaft
stritt. Auf dem Schreibtisch befand sich das Telefon. Er nahm den Hörer ab, sagte »Papke« und
»Moment mal« hinein, rief »Rieke, für dich«, und
stritt weiter.
Sie war gerade beim Lackieren und kam nur ungern herbei.
»Wer ist es denn?«
»Mexiko«, sagte Papke so lässig, als ob er ein in-
ternationaler Flughafen wäre.

In Rieke löste dieses Wort ein Erdbeben aus.

Sie stürzte sich auf den Hörer und brüllte »Bob!« hinein mit einer Stimme, die bereit war, den Ozean ohne Verstärker zu überqueren.

»Friederike«, sagte er so nah, als ob er aus dem Tabakladen nebenan telefonierte. »Wie geht's dir?«

»Zum Heulen, Bob.«

»Mir auch«, sagte er.

»Dir auch?« Das freute sie.

»Du fehlst mir sehr.«

»Ja«, sagte sie und sah Papke und seine Kunden beschwörend an: Könnt ihr nicht ein bißchen leiser streiten? Aber nein, konnten sie nicht.

»Rieke, ich rufe an, um dich etwas zu fragen –«

»Ja, Bob, Moment –«, sie nahm den Apparat und stieg mit ihm in das zunächst stehende, reparaturbedürftige Möbel.

Es handelte sich sinnigerweise um einen böhmischen Hochzeitschrank. Er stank penetrant nach Speck und Schuhwichse. Aber wenigstens war sie in ihm ungestört.

»So, jetzt.«

»Könntest du dir vorstellen, hier zu leben?« fragte Bob.

Nein, das konnte sie nicht, aber: »Heißt das etwa, du willst mich wiederhaben?«

»Lieber heute als morgen.«

Ihr kam der Spruch in den Sinn ›Wo du hingehst, da will auch ich hingehn‹ . . . Aber mußte das ausgerechnet Mexico-City sein? Rieke war kein Typ, der in Riesenstädten gedeihen konnte. »Muß ich mich gleich entscheiden?«

»Ich dachte mir schon, daß du nicht begeistert bist«, sagte er. »Überleg's dir in Ruhe.« Und dann sprach er nicht mehr davon. Er erzählte von Pepe, der inzwischen nach Hause zurückgekehrt war und in Mexiko bleiben durfte. Seine Eltern hatten sich darüber völlig entzweit, der Vater beabsichtigte, allein nach Deutschland zurückzukehren.

»Und Herodes?«

»Haut täglich ab. Aber jeden Abend bellt er vor dem Tor. Er ist zum Stadtstromer mit fester Adresse geworden. Gestern hat er versucht, eine Hündin – eine einäugige, alte Vettel – mit einzuschleusen, aber der Gärtner schmiß sie raus.« Bob versprach, bald wieder anzurufen, und Rieke versprach ihm, sich zu entscheiden und ihm zu schreiben.

Nachdem sie eingehängt hatte, blieb sie noch eine Weile im Schrank sitzen, den Apparat im Schoß. So fand sie Papke, dessen Kunden inzwischen gegangen waren. Er schnüffelte angewidert.

»Biste chloroformiert von den Gestank, wa? Weiß

der Deibel, wie diesa Mief zu meistern is. Und womit rauskriejen? Der gehört ja zu seine Historje.
Det Holz von diesen Schrank, det hat noch jelebt,
wie se den Speck drin uffjehängt haben und da
kannste ebend machen, wat de willst, det kriegste
und kriegste nie mehr raus.«

»Nein, nie mehr«, sagte Rieke und dachte dabei an
Bob.

11

Sixten war ein Meister im Schreiben von Witz-
postkarten. Es stand nur nie das drauf, was Rieke
gerne wissen wollte. Einmal rief er sie aus Hamburg an, wo er bei seinem Bruder wohnte, und erzählte, daß es mit der Kieler Firma noch nicht fest
geklappt hätte, sich aber in der nächsten Woche
entscheiden würde. Dann käme er erst einmal nach
Berlin zurück.

»Es wird Zeit, dich wiederzusehen, Alte«, sagte
er.

Und Rieke sagte: »Bob, ich muß mit dir sprechen.«

»Aach –«, meinte er gedehnt, »du hast ›Bob‹ zu
mir gesagt.«

»Es war ein Versehen, Sixten.« So plump hatte sie
es ihm wirklich nicht beibringen wollen. Außerdem war Bob nicht schuld am Ende ihrer Bezie-
hung, er war nur noch dazugekommen; Bob, der
nichts mehr von sich hören ließ.

Er rief nicht an und reagierte auch nicht auf ihren
Brief, in dem sie ihm geschrieben hatte, sie wäre zu
der Erkenntnis gekommen, ihn genug zu lieben,

um Mexico City nicht lieben zu müssen. Und vielleicht könnte sie drüben Nützlicheres leisten, als alte Möbel zu restaurieren.

Es war wie früher, Bob meldete sich einfach nicht mehr.

Die herrschaftliche Bruchbude war nun leer, bis auf Frau von Arnim in der Beletage und Rieke im 2. Stock.

Vor wenigen Nächten hatten Betrunkene auf ihrem Heimweg mehrere Scheiben im Erdgeschoß eingeschlagen – das war immer der erste Weg zum Schaffott. Ehe man ein altes Haus liquidierte, warf man ihm die Augen blind.

Daraufhin hatte Frau von Arnim eine Schreckschußpistole gekauft und an geheimen Orten im Garten und Hausflur Knüppel deponiert, nach denen man im Notfall greifen konnte, sofern man sich rechtzeitig an sie erinnerte.

So ein Ernstfall bot sich eines Abends, als Rieke im letzten Dämmerlicht nach Hause kam. Sie hörte schon im Vorgarten Plumpsacks Schimpfen – er bellte sich selber Mut zu.

Irgend etwas im Haus stimmte nicht. Rieke griff

sich deshalb den Knüppel aus dem Gießkannen-
versteck im Erdgeschoß und zitterte mutig die
Treppe hinauf. Vor ihrer Wohnungstür saß jemand.

Sixten war wieder da.

Sie kannte die Schuhe, die einzig sichtbar aus dem
Dämmer herausragten.

Beim zweiten Hinsehen erinnerte sie sich, daß sie
zwar die Schuhe kannte, sie aber nicht Sixten gehörten.

Die Schuhe gehörten Bob.

Rieke brach beinahe das Herz vor Glück.

Er stand auf und sagte: »Ich dachte schon, du
kommst nie mehr!« und nahm sie in die Arme.

Ausgerechnet er mußte das sagen; er, der sich seit
Wochen nicht gerührt hatte. Aber Hauptsache, er
war jetzt da, wirklich und wahrhaftig da, fühlte
sich an wie Bob, klang wie Bob, sah aus wie Bob,
roch so gut wie Bob . . .

Irgendwann sagte er: »Plumpsack randaliert die
ganze Tür kaputt.«

»Macht nichts, die wird auch abgerissen.«

»Trotzdem, könnte man sie vielleicht aufschließen
und ein bißchen hineingehen?«

Bob sammelte ihre Briefe von der Türschwelle,
nahm seine Reisetasche und eine Duty-free-Tüte
voll mit Champagner auf.

Er hatte ein großes Fest mit ihr vor. Rieke konnte

fünf weichgewordene Salzstangen und ein Joghurt dazu beisteuern.

»Wovon lebst du eigentlich? Nie hast du was da, wenn ich komme«, stellte er fest.

»Sag du mir lieber, woher du jetzt kommst. Ich habe dich erst in zwei Jahren erwartet. Und bis dahin hätte ich eingekauft. Vielleicht auch Kochen gelernt. Wie lange hast du Zeit?«

Bob setzte sich auf den nächstliegenden Tisch und zog sie zu sich heran.

»Ich geh nicht mehr zurück. Ich habe gekündigt.«

»Gekündigt?! In heutiger Zeit?«

»Das hat mein Vater auch gesagt. Nun ist er böse und Isabella auch. Der Zorn auf mich hat sie, wenigstens vorübergehend, versöhnt. Ein seltsames Paar: sie können nicht mit-, aber noch weniger ohne einander. Pepe läßt dich grüßen.«

Riekes Lippen feierten Wiedersehen mit all seinen Sommersprossen. Dabei fragte sie: »Wie ist das alles so plötzlich gekommen?«

»Erstens gefiel es mir nicht mehr ohne dich«, er tippte ihr dabei auf die Nasenspitze, »und zweitens, Mädchen, ich war zu lange von drüben fort. Ich finde mich da heute genauso ungern zurecht wie Pepe in Europa. Also habe ich meine drei Mark vom Konto geholt, meine sieben Sachen gepackt und den nächsten Flieger nach Deutschland genommen. Und das alles ohne Job!

›Rieke Birkow kommt mit Sixten,
zieht jedoch per Los den Bob, ach verflixten,
denn nun hat sie schon den zweiten ohne Job.‹
Und der hat Durst!«

Während er den warmen Champagner entkorkte,
blätterte sie kurz ihre Post durch. Ein Brief von
Sixten war dabei. Sie öffnete ihn und erschrak:
»Mit Kiel hat es wieder nicht geklappt. Ach, das ist
doch – der arme Kerl! Er tut mir so leid. Um den
müssen wir uns kümmern, hörst du! Den können
wir jetzt nicht einfach sitzenlassen! Den mit seinen
zwei linken Füßen!«

»Um mich machst du dir wohl keine Sorgen«,
fragte er, mit den überschäumenden Gläsern in der
Hand.

»Nö«, sagte Rieke, »wir beide kommen immer
durch.«

Sie öffnete den zweiten Brief und fing zu lachen
an.

»Was ist los?« fragte Bob.

»Das rätst du nie – eine Einladung zu einer
Herbstrallye. Um den Ammersee. Ich fürchte, ich
muß da absagen. Was meinst du?«

»Sag ab, Friederikus! Sag um Himmels willen ab.
Du kannst ja noch nicht einmal die Folgen der *ersten* Rallye übersehen!«